狐火の家

貴志祐介

角川文庫 17020

目次

狐火の家

狐火や髑髏《どくろ》に雨のたまる夜に　蕪村《ぶそん》

1

三十分以上谷間《たにあい》の道を走ってから、ワゴン車はようやく荒神村《こうじん》に入った。西野真之《にしのまさゆき》は、窓の外に広がる景色に目をやりながら、百円ライターでタバコに火をつけた。

ゴールデンウィーク中に、村は花が満開の季節を迎えていた。ところどころにある果樹園では、真っ白なリンゴの花や、ピンクのシダレハナモモが咲き誇っている。野原や路傍では、タンポポと菜の花の黄色、スミレの紫がアクセントを添え、森の中の道ではミズバショウや遅いヤマザクラも目を楽しませてくれた。

西に向かって一本道の村道は、狐火《きつねび》集落を通過した。こぎれいな家や果樹園が並ぶ景色には、おどろおどろしい名前の面影はないが、一歩森に入れば、今でも雨上がりの晩など、狐火に遭遇することがある。

西野家は、その道を突き当たりまで進んだ、村はずれにあった。右手に黒い屋根瓦《やねがわら》とくすんだ白壁の日本家屋が見えると、西野は、さっきつけたばかりのタバコを揉《も》み消した。

二人の娘は、幼い頃はタバコの臭いが好きだなどと言っていたのだが、最近では妻の麻美《あさみ》の影響で、父親の喫煙に白い目を向けるようになっている。

村道は、家をすぎて少し行ったあたりで曖昧《あいまい》に途切れており、付近には他の家はない。家の手前はブルーベリーなどを栽培している小さな畑で、奥側には物置兼ガレージがある。道を挟んで反対側は荒蕪地《こうぶち》だった。家の後ろ側には、草ぼうぼうになった休耕田があり、その向こうには、すぐに森が広がっている。

西野は、玄関前にワゴン車を止めた。ガレージに入れる前に、積んできた荷物を家に入れなくてはならない。土産物でぱんぱんに膨らんだルイ・ヴィトンのバッグを左腕にかけて降り、バックドアを開けて、冷凍されたボタンエビの入った発泡スチロールのケースを引っ張り出した。両腕にかかる重みに耐えながら、玄関の呼び鈴を鳴らしたが、誰も出てこない。

西野は舌打ちした。一昨日から、一家で松本《まつもと》市内の親戚《しんせき》宅に泊まりに行っていたのだが、長女の愛実《まなみ》だけが、部活の朝練があるということで、一足早く今日の朝一番の電車で帰っていた。昼までには家に帰っていると言っていたのだが、まだらしい。時計を見ると、すでに一時を回るところだった。

西野は、地面に目を落とした。今は晴れているが、今朝くらいまで、ずっと雨が降っていたらしく、土はぬかるんでいる。しかたなく、発泡スチロールのケースと鞄《かばん》を腕にかけた不自由な姿勢のまま、背広の内ポケットを探って、キーホルダーを取り出した。ふと、背後に視線を感じたような気がして、振り返る。

村道を挟んだ荒蕪地から、さらに7、80m以上離れた高台にあるリンゴ園で、大きな脚立に乗って花摘みの作業をしている農婦の姿が目に入った。辻登美子《つじとみこ》だ。目が合うと、登美子ははるか彼方《かなた》から頭を下げた。西野も会釈を返す。こちらからは、輪郭がぼんやりと見えるくらいだが、遠目の利く登美子には、こちらの表情までうっすらと見えているのだろう。この村では、わざわざ玄関に鍵《かぎ》をかける家はほとんどないので、毎回、玄関の錠を開け閉めしている西野家は、多少なりとも奇異の目で見られているはずだ。西野は不愉快になり、怒りの矛先は愛実に向かった。いったい、どこをほっつき歩いてるんだ。昼までには帰ってるっていう約束じゃないか。

錠前に鍵を差し込んで回し、建て付けの悪い引き戸を開けて、薄暗い土間に入った。

「ただいま」

誰もいないとわかっている家に、習慣で声をかける。革靴を脱いで、上がり框《がまち》に足を乗せたとき、強烈な違和感に襲われた。まるで、後ろから、何者かが彼の袖《そで》を引いているかのような。

何だろう。

怪訝《けげん》な思いで土間を見回すと、原因はすぐにわかった。愛実の白いスニーカーが、土間の隅にきちんと揃えてあるのだ。

中学三年生になる愛実は、親の目から見ても整理整頓《せいとん》のできた子で、履き物を脱ぎ散らかすことはおろか、土間に一足を出しっぱなしにしたままで、ほかの靴を履いて出かけることも考えられない。

　ここにスニーカーがある以上は、愛実はすでに帰っているはずなのだ。

　西野は、家の奥に向かって大声で呼んでみた。

「愛実！」

　返事はない。呼び鈴に応答がなかったのだから当然かもしれないが、西野は胸騒ぎを覚えた。

「愛実。いないのか？」

　発泡スチロールのケースとバッグをその場に置き、玄関から次の間に抜けたときには、早足になっていた。長年住み馴《な》らしたこの家が、突然、ひどく禍々《まがまが》しい場所に変貌《へんぼう》したかのようだった。黒光りのする廊下は、西野の足の下でぎしぎしと音を立てる。朝晩聞いている音が、今日に限って、まるで魔物の笑い声のように聞こえた。

「愛実？」

　奥座敷の襖《ふすま》を開け放って、西野は立ちすくんだ。

「愛《まな》……どうしたっ？」

　その先は、悪夢の中のようだった。西野は、ぐったりと畳の上に横たわった娘のそばに駆け寄り、片膝《かたひざ》をついた。夢中で抱き起こして揺さぶったが、反応はない。呼びかけの言葉は、いつしか力なく口の中で消えていった。

最愛の娘は、息をしていなかった。細く華奢《きゃしゃ》な身体は、ゆっくりと冷たくなり始めている。

＊　＊　＊

呼び鈴の音が聞こえる。

一度。二度。さらに間をおいて、三度目。

西野は、夢から覚めたように、ゆっくりと顔を上げた。

玄関の引き戸を開ける騒々しい音がする。半ば麻痺《まひ》したような意識の隅で、玄関の鍵を閉めていなかったことを思い出す。

「西やーん？」

間延びした声が響いた。

「いるずらー？　上がらしてもらうよ」

どすどすと廊下を歩く音。

西野は、娘の遺体に目を落とした。

いったい、どれくらいの間、こうしていただろう。

どうして、こんなことになってしまったのだろう。なぜ、こんなにいい子が、殺されなくてはならないのか。何が悪かったというのだろう。この子だけを、先に、人で帰したのがいけなかったのか。それとも……。

「何だい。やっぱり、いるんじゃ」

がらりと音を立てて襖が開かれ、幼なじみの遠藤晴彦《えんどうはるひこ》の胴間声が座敷に響き渡ったが、最後は息を呑《の》む音で終わった。

「ど、どうしたんだ？　愛実ちゃん、病気か？」

体重が１００kg近い遠藤がそばに来ると、振り向かなくても、畳が沈み込む感じでわかる。

「たいへんだ。き、き、救急車。おい、西やん！」

遠藤は、畳にどすんと膝をつき、西野の肩に手をかけた。西野は、力なく首を振った。

「だめだ」

「え？」

「愛実は、もう死んでる」

遠藤は、しばらく硬直したように動かなかったが、突如立ち上がると、どすどす床を踏み鳴らしながら、廊下を駆け出していった。

もうすぐ、麻美と明日香《あすか》が帰ってくる。

西野の脳裏に、二人の顔が浮かんだ。もう涙も涸《か》れ果てたかと思っていた目に、うっすらと新しい涙が滲《にじ》む。

西野は、ネクタイを外した喉元《のどもと》を右手で摑《つか》んで、声を立てずに嗚咽《おえつ》した。

これから、どうすればいい。二人に、どう説明すればいいんだろう。

幸せだった家族は、これから先、いったい、どうなってしまうのだろうか。

＊　＊　＊

長野県警から派遣されてきた大勢の警察官で、家の中はごった返していた。湿度が高いこともあり、古い家に独特の臭気が立ちこめていて、鼻を覆いたくなる。

所轄署の捜査第一課の警部補、太田淳一《おおたじゅんいち》は、あらためて家の中を見回した。築百年になろうとする二階建ての日本家屋で、黒光りする柱や梁《はり》には年月を刻んだ重厚さが滲み出ているが、後から補修・リフォームしたらしい部分は、対照的に安普請が目立った。

「どうだ？」

太田は、百瀬《ももせ》刑事を手招きして、小声で訊《たず》ねた。百瀬は、若いが刑事課でも切れ者と評判の男で、現場の些細《ささい》な手がかりも見落とさない、抜群の注意力を備えていた。

「はあ。それが……どうも」

百瀬の顔には、見たことのないような困惑の色が浮かんでいる。

「死因は確認できたのか？」

「一応、司法解剖の結果を待たなければなりませんが、強い力で突き飛ばされて、柱に頭をぶつけ、脳内出血を起こしたというのは、まず間違いないようです。傷の形状が符合しますし、柱の方からは、被害者《マルガイ》の血痕《けっこん》と髪の毛が見つかっています」

「自殺の線はないわけだな」

たとえわかりきったことでも、一つ一つ可能性を潰《つぶ》していくのが、太田のやり方だった。証拠の山を辛抱強く篩《ふるい》にかけていけば、最後には真実が残るはずだ。

「はい。また、自然に起きた事故とも考えられません。検視官の話では、座敷の畳の上で滑ったとしても、あれほど強く柱に頭を打ち付けるとは考えにくいそうです。それに、頬骨の上には、頭の傷とは別に、殴打されたような痕《あと》が残っていました」

「だとすると、誰かに殴られて、頭を打ったってことになるな」

太田は、腕組みをした。殺人か傷害致死ということになる。

「マルガイは、中学生の女の子だな。暴行された形跡はないのか？」

「着衣は、父親が発見したときに整えてしまったようですが、遺体を調べても、性的暴行の痕跡は見つかりませんでした」

だとすると、動機は絞られてくる。

「怨恨《えんこん》か、物盗《ものと》りの線は？」

「そうですね。死因は偶発的な印象が強いですし、怨恨の線は薄いんじゃないかと思われます。一方、現場に窃盗犯がいたことは、あきらかです。犯人は、極力痕跡を残さぬよう努めていたようですが、箪笥《たんす》の引き出しなどに物色した形跡がありました」

一課に来る前は、窃盗犯の検挙で実績を上げてきた百瀬は、自信ありげだった。

「だが、流しの物盗りの犯行とも思えんな。だいたい、この村は窃盗事件自体、ほとんどないだろう。外部から不審者が入ってきて、うろうろしてたら、目立つはずだしな」

　そう言いながら太田は、殺人事件に至っては、この村で起きるのは実に数十年ぶりのことであるのを思い出した。

「何か、遺留物は？」

「指紋は現在、家族のものと検証中です。足跡は、家の中からは採取できませんでした」

「犯人は、礼儀正しく靴を脱いでいたわけか？」

　プロの泥棒なら、まず、靴を脱ぐとは考えられない。とっさの場合、逃げるのに時間がかかるからだ。

「もしかすると、足跡を残さないために、靴にカバーを付けていた可能性もありますが」

　太田は、ビニールのカバーで覆った自分の足下を見下ろした。最近、大都市に跳梁《ちようりよう》する窃盗犯なら、このくらいのことはやるのかもしれない。だが、この村で起きた犯罪には、何とも似つかわしくないという気がする。

　百瀬が咳払《せきばら》いした。

「かりに、西野家の縁故者か知人であれば、靴を脱いでいたとしても、不自然はないと思われます。犯人には、敷鑑《しきかん》があったと思われますので」

「なぜ、わかる？」

「村はずれの、しかも一番奥まった場所にあるこの家を狙ったこと自体、何らかの事情に通じていた者の犯行としか考えられません。また、犯人は、西野家が、一昨日、五月四日から、松本の親戚《しんせき》を訪ねるために留守になることも、把握していたと思われます」

おそらく百瀬の分析は的確だろうと、太田は思った。犯人は、西野家の予定を知っていた。しかし、長女が一足早く帰ってくることまでは予測できなかったのだろう。それで、帰ってきた長女とばったり鉢合わせしてしまい、大声を出そうとした彼女と揉《も》み合う間に、故意にか誤ってか殴打し、結果的に死に至らしめた……。

「だとすると、やはり問題は、『入り』と『出』だな」

太田は、溜《た》め息をつきたくなった。一課に帰ったらすぐに、捜査本部を立ち上げなくてはならず、本部長となる宮坂《みやさか》一課長に状況を報告しなければならない。だが、侵入経路と脱出経路がわからないままで、何と説明すればいいのか。

「侵入経路は、不明ではありますが、犯人がかりに縁故者であるとすると、朝早く、マルガイ自身が招き入れていた可能性もあります。どうにも説明がつかないのが、犯人の脱出経路です」

百瀬は、手帳を開いて目を落とした。

「まず、玄関から逃げたとは、考えられません。根拠は二つあります。一つは、発見者である父親が帰宅した際、玄関が施錠されていたことです。長女が持って帰った鍵《かぎ》は、家に残されていましたので、犯人が逃走する際は、鍵をかけることはできなかったはずです」

「犯人が合い鍵を持ってたとは、考えられないのか？」

「はい。この鍵は外国製で、構造が特殊なため、町の鍵屋では複製できません。合い鍵を作るには、メーカーに直接発注しなければならないため、その数はカードで管理されています。調べたところ、鍵の所在はすべてわかりました」

　太田は、顔をしかめた。

「この家では、なんで、そんな鍵を付けてたんだ？」

　これまで泥棒もいなかった村にしては、あまりにも過剰な用心ではないか。

「その点は、まだ確認しておりません」

　百瀬は、申し訳なさそうな顔になった。

「……犯人が玄関からは逃走していないという、もう一つの根拠ですが、目撃者の存在があります。ここから１００ｍほど離れたリンゴ園で、辻登美子という農婦が、午前十一時過ぎから花摘みの作業をしていました。証言によると、十一時十五分頃にマルガイが外出から戻ってから、午後一時頃西野が帰宅するまでの間、正面玄関に近づいた人間は、一人もいないということです。その後、午後二時過ぎになって、遠藤という男、これは通報者で村の郵便局員ですが、この男がやって来たのも目撃しています」

「辻登美子は、昼飯は摂《と》らなかったのか？」

「リンゴ園で弁当を使ったようですが、景色を見ながら食べたので、その間も、西野家はずっと視界に入っていたと断言しています」

　もちろん、作業をしている間は手元を見ているはずだし、西野家からは、何度も目線を切っているだろう。しかし、かりに犯人が玄関から出た瞬間は見逃したとしても、犯人が辻登美子の視界から完全に消え去るまでには、ある程度の時間を要するはずだ。登美子は、かなりの自信を持って証言しているようだし、その間、逃走する犯人がいれば、どこかで視界に入り、気がついた可能性が高いのではないか。

「マルガイの死亡推定時刻は？」

「一応、直腸内の温度から、十二時半となっています。ただし、前後三十分程度の誤差はありえるということです」

一時間の幅があるのでは、死亡推定時刻はたいして参考にならないなと、太田は思った。いや、待て。死亡推定時刻が、最大午後一時頃まで延びるのなら、父親の西野真之も、容疑の圏外に置くわけにはいかなくなる。

いや、まさか。そんなことはないだろうと思い直す。西野真之は、子煩悩な父親だったらしいし、先ほど見た悲嘆に暮れている様子は、とても演技とは思えなかった。

西野家は、古い地主の家柄で、農地改革で大半の土地を失ったが、今も素封家の部類に入るようだ。真之も、松本市内に所有する不動産からかなりの収入があり、空いた時間は、もっぱら村おこしのための活動に費やしている。もちろん犯罪歴もなく、悪く言う人間は見当たらない。また、殺された愛実という娘は、父親に輪をかけて評判がよく、非行とはまったく無縁である。父親が娘を殺害するという事件は、最近では珍しくないようだが、そうした事件とは、まったく状況が違うような気がする。

ただ、太田には、遺体の発見から通報までに、一時間以上もかかっている点だけが気になっていた。

通報者である遠藤という男の話によると、西野真之は、娘の死体を発見したショックで、魂が抜けたような状態になっていたらしいが……。

「よくわかった。要するに、犯人は、玄関から出たわけではない。だとすると、いったい、どこから逃げたんだ？」

「玄関以外の脱出経路としては、縁側と勝手口、窓しかありません。縁側は、玄関と同じく家の南側にあるので、リンゴ園から丸見えですし、引き戸はすべて内側から施錠されていました。勝手口は家の東側ですから、やはりリンゴ園からの視界に入り、こちらは内側から閂《かんぬき》がかかっていました」

「窓は？」

「一階、二階とも、ほとんどが施錠されていたのですが、一階北側に、一カ所だけ開いている窓がありました」

「じゃあ、脱出路は、そこしかないじゃないか」

太田は、ほっとして言った。

「それが、そう単純な話では……」

百瀬は、暗い声音で言う。

「どういうことだ？」

「たぶん、じかにご覧になった方がわかりよいと思います」

太田は、百瀬に導かれて、草地に面している家の北側を検分した。古い旅館のような大きな木製の引き違い窓が並んでいるが、すべて、真鍮《しんちゅう》のネジ締まりによって施錠されている。

「一つだけ開いていたというのは、ここの窓です」

百瀬が指したのは、北側のほぼ中央に位置する大きな窓だった。幅60㎝、高さは１ｍといったところか。

「犯人がここから抜け出したとしたら、何か不都合があるのか？」

百瀬は、窓をがらがらと引き開けた。

「ここから、外を見てください」

太田は、窓から首を出した。窓の外は狭く殺風景な裏庭で、塀や囲いはなく、休耕田だったらしい草地が続いている。草地に入ってしまえば、誰からも見られずに森に入ることも可能だろう。

「問題は、すぐ下の地面です」

太田は、真下に視線を向けた。百瀬の言わんとするところは、すぐにわかった。

家の周囲の土は滑らかな粘土質で、前夜の雨を吸って、ふっくらと膨らんでいた。窓から降りた人間が歩けば、おそらく、石膏《せっこう》の上のように鮮明な足跡が付くはずである。

だが、足跡の類《たぐい》は、まったく見えなかった。かりに足跡を後から均《なら》しても、あるいは、別の場所から同じような土を取ってきて被《かぶ》せたとしても、元通りにきれいに押し固めるのは不可能だろう。

しかも、窓から足跡が付かない草地までは、５ｍ近くもある。窓はやや高い位置にあるとはいえ、助走もなしに飛び越えられる距離ではない。

「馬鹿《ばか》な」

太田はきびすを返すと、ビニールの靴カバーをはぎ取り、玄関から外に出た。畑から草地に入り、家の北側に回った。犬の糞《ふん》そっくりな感触の泥濘《ぬかるみ》に靴を取られそうになり、くるぶしまで泥土でべっとりと汚れたが、そんなことを気にしている場合ではない。

草の上に立って、粘土質の表面に触れてみた。思った以上に、くっきりとした跡が残る。もしかすると、指紋さえ検出できるかもしれない。

「おい。あれは何だ？」

裏庭を見渡すと、窓の西側、３ｍほど離れた場所に、弧を描くようにして草地に向かう足跡が見えたのだ。窓の内側からは、死角になっていたようだ。

「駐在所の巡査と犬の足跡です。事件の一報が入った直後に、犬に追わせてみたようですが、結局、犯人の臭跡を発見することはできませんでした」

現場の保全からすると、裏庭に足跡を付けてしまったというのは問題である。だが、どう見ても、犬の足跡と巡査一人の人間の足跡が一組ずつ続いているだけだし、かりに窓からそこまでジャンプしたとしたら、粘土質の地面にはもっと大きな跡が残るはずだ。

太田は、くだんの窓の外の周囲に絞って目を凝らしてみたが、足跡はおろか、他のどんな痕跡《こんせき》も見いだせなかった。幅の広い板を置いたような跡や、竹馬に乗ったような細い穴すらも。

太田の脳裏に、宮坂一課長の気むずかしい表情がちらつく。だんだん胃が痛くなってきた。

だが、もし犯人が、本当に、この家のどこからも脱出していないとすると、残された可能性は……。

「西野は、どこにいる?」

太田は、感情を押し殺した低い声で言った。

2

リンゴの花が咲き乱れている荒神村は桃源郷のような美しさだったが、アウディA3のハンドルを握る青砥《あおと》純子《じゅんこ》の心の中では、不穏な砂嵐がずっと吹き荒れていた。

携帯電話に着信があり、アリス・クーパーのだみ声が「The Telephone is ringing!」と歌う。対向車すらめったに来ない田舎の道で取り締まりをやっているはずはないが、一応周囲を確認してから、純子は電話に出た。

「もしもし」

『青砥さん？　今どこ？』

レスキュー法律事務所の同僚弁護士である、今村《いまむら》の声だった。電波状態は、あまり良くない。

「荒神村に入ったとこ、だと思う」

『ご苦労さん。長野北署の方はどうだった？』

「一時間以上も待たされてから、ようやく、西野さんとは接見できました」

『それで？』

「心証としては、完全にシロね。家に帰ったときには、すでにお嬢さんは亡くなってたっていうのは、本当としか思えない。我が子を手にかけなきゃならない動機も、何一つ見あたらないし。とにかく、ショックで憔悴《しょうすい》しきってたわ」

『なるほど……だとすると、いよいよというわけか』

「いよいよ、何？」

『いや、密室の謎を解かなきゃならないね』

こいつは、おもしろがっているのか。純子の脳裏には、今村がアイメトリクスの眼鏡の奥でほくそ笑んでいる顔が浮かんだ。

「そうね。一昨日《おととい》起きた事件を今日中に解決すれば、わたしは、日本初の密室専門の刑事弁護士で売り出せるかもね」

今村は、わざとらしい耳障りな笑い声を立てた。

『いやいや。僕は何も言ってないんだけど、あの平林《ひらばやし》っていう弁護士も、現場が密室っていうことで弁護方針が立たずに相当困ってたみたいでね。それで、六本木《ろっぽんぎ》センタービルの密室事件のニュースを思い出して、藁《わら》をもつかむ思いで、うちに電話してきたんだ。まあ、事務所のモットーからしても、助けを求められれば、むげに断れないだろう？』

「だったら、電話を受けたあなたが出張《でば》るのが、筋なんじゃない？　何も、わざわざ休暇中の人間を引っ張り出さなくても」

タイ式マッサージ。タラソテラピー。ネイルサロン。高原のカフェ。テニス。地元信州の野菜を使った本格フレンチとワイン。純子は深い溜《た》め息をついた。

携帯電話が鳴ったのは、A３が碓井《うすい》軽井沢《かるいざわ》ICに到着した瞬間だった。学生時代からの親友二人と、ようやく休みを合わせることができ、ずっと前から楽しみにしていたのに。しかも、外資系の投資銀行に勤める奈々《なな》が、合コンをセッティングしてくれていたのだ。相手は、歯科医に公認会計士、システムエンジニアなど。みな若くして成功し、１以外の数字から始まる八桁《はっけた》の年収があるらしい。

『いやいや、向こうからの、たってのご指名だしね。それに、軽井沢と荒神村は同じ長野県だから、わりに近いんじゃないかと思って』

今村は、宥《なだ》めるように言う。ありがとう。おかげで、人を殺したいという気持ちについては、今、ものすごくよく理解できたわ。純子は、低くつぶやく。

『え？　何て言った？』

「何でもない。運転中だから、もう切るわよ」

『ああ、ちょっと待って。電話したのは、あの男に連絡した方がいいか訊《き》こうと思って』

あの男。榎本径《えのもとけい》。怪しげな防犯ショップの店長。腹立たしいときに思い出したい顔ではない。

「別に、犯罪者に協力してもらわないでも、だいじょうぶです」

『そうか？　でも、今回の事件は、窃盗がらみみたいだし、適任者という感じがするんだけど』

右前方に、黒っぽい瓦《かわら》屋根と白壁の日本家屋が見えてきた。すでに、村はずれまで来ているはずだし、たぶん、あの家だろう。

「警察も、弁護士も、たぶん、何かすごく単純なことを見落としてるのよ。すぐに片付けるから」

純子は、電話を切った。密室なんて、現実に存在してたまるものか。きっと、先入観に囚《とら》われて、目が曇っているに違いない。そうだ。今日一日で片付けて軽井沢にとんぼ返りすれば、まだ、合コンにだけは間に合う。

純子は、深呼吸すると、どことなく不気味な雰囲気の漂う家の前で決然と車を止めた。

「いやあ、どうにも狐につままれたような状況で、ほとほと、困り果ててるんですよ。それでまあ、青砥先生に、わざわざこんな田舎までお越しいただいたんですが」

平林弁護士は、禿頭《はげあたま》をハンカチで拭《ぬぐ》った。困っているというのは本当らしく、二回りも若い女性弁護士に対して下手に出ているが、分厚い眼鏡の奥の細い目は、こちらの力量を見透かそうとするかのように、油断なく光っている。とりわけ、その目が細められたのは、白いシフォンチュニックに七分丈のジーンズという、純子のリゾートファッションを見たときだった。

服装について弁解めいたことを言えば、相手を優位に立たせることになる。こちらは、休暇を切り上げて駆けつけてきたのだ。引け目を感じるべきは、向こうの方だろう。

「わかりました。ただ、一つだけ、はっきりさせておきたいのですが、公判になった場合、西野さんの弁護は平林先生がなさるんですね？」

軽いジャブを打つと、平林の表情が変わった。

「いや、それは、僕はこだわりませんよ。青砥先生に弁護方針をご呈示いただけるんなら、代わってやっていただいても。ただ、裁判は長野地裁だし、まあ、そのたびに東京から出張していただくのもどうなのかなと……」

この手の丸投げオヤジとは、これまでに何度も一緒に仕事をしてきたので、習性は熟知している。面倒なことは何もかも他人にやらせ、ついでに責任も全部おっ被せてやろうと準備おさおさ怠りないものの、たまたま物事がうまくいくと、扇子をぱたぱたさせながら、功績は自分のものだとしゃしゃり出てくるタイプだ。

「おっしゃるとおりです。毎回東京から来たんでは、よけいな費用もかかりますし」

純子は、澄ましてお茶を啜《すす》った。

「あのう……お二人に弁護をお願いするっていうわけには、いかないんでしょうか？」

それまで黙っていた西野麻美が、遠慮がちに口を挟んだ。

「費用のことでしたら、何とかします。とにかく、何としても、主人を助けていただきたいんです。どうか、どうか、お願いします」

麻美は、畳に両手をついて、深々と頭を下げた。四十代半ばにしては若く見える方かもしれないが、今は、娘を喪《うしな》った悲しみと夫を勾留《こうりゅう》されているという心労からだろう、目の下に大きなクマができ、やつれが目立った。

「西野さん、お手をお上げください」

純子は、彼女の方に向き直った。

「わたしは、単なるアドバイザーということでもかまいませんし、もし、必要なら、平林先生を補佐するような形で、裁判にも参加しますから」

平林の方を見ると、素知らぬ顔で扇子を使っている。

「それより、二、三、お伺いしたいことがあります」

純子は、システム手帳に目を落とした。

「まず、家の戸締まりなんですが、窓は全部施錠して、外出されたんですか？」

「はい。……うちは、主人がそういうことに、とても神経質で」

「北側の窓が、一カ所だけ開いていたようですが？」

「そのことは、警察の方にも訊かれましたが、よくわかりません。愛実が、帰宅してから風を入れるために開けたのかもしれませんが……」

だとしても、北側に並んだ窓の真ん中一つだけを開けるというのは、少し不自然な感じがする。

「それから、盗まれたものなんですが、お二人とも、当初は、何もないようだと供述されてますね？」

「はい。最初、物盗《ものと》りの犯行だと言われて家の中を見たんですが、特になくなっているものは見あたらなかったんです。もともと、不動産の権利書とか証書類は、全部銀行の貸金庫に預けてありますし、現金はほとんど置いてませんから。わたしの宝飾品などは、たいして値の張るものもないんですが、全然手を付けられてませんでした」

「それが、後になって、金のインゴットがなくなっていることに気づかれたんですか？」

「刑事さんに、あちこちに物色した跡があるって言われて、もしやと思って見てみたんですが。まさか、あんなところに隠してあったものを泥棒に見つけられるなんて」

「その隠し場所を、見せていただけますか？」

麻美は、二人を台所に案内した。床下収納庫を開け、漬け物樽《だる》や広口瓶を取り出してから、奥に手を突っ込んで突っ張り棒のようなものを外す。さらに、苦労して底にあるコンクリートの板を持ち上げると、40㎝四方、深さ10㎝ほどの空間が現れた。

「ここに、金の地金を隠してあったんです」

たしかに、素人目には、こんなところに隠してあるとは思いもよらない。だが、プロの窃盗犯ならどうなのだろう。たとえば榎本なら、すぐに見破ったのではないだろうか。

「インゴットは、何本くらいあったんですか？」

「三十本です」

「重量にすると、どのくらいですか？」

麻美の答えに、純子のメモを取る手が止まった。

「一本が1kgですから、ちょうど30kgです」

つまり、西野愛実を殺害した犯人は、30kgもの重荷を背負って、この家から脱出したことになる。密室の謎は、ますます深まったが、犯人の動機は、明瞭《めいりょう》になってきたようだ。最初から金のインゴットを奪うことを目的に侵入した可能性が高いだろう。

「わかりました。ほかには、なくなったものはないんですね？」

念のためにした質問だったが、麻美は、首をかしげて言い淀《よど》むような仕草を見せた。

「何か？」

「あのう、これは、わたしの勘違いかもしれないんですが」

「どうぞ、言ってください」

「今朝気がついたんですが、古い洗濯ネットと物干し用のナイロンのロープがないようなんです。使わなくなってからは洗濯機の奥に突っ込んであったんですが、いつか捨てようと思いながら、たぶん、まだ捨ててなかったんじゃないかって……」

麻美の声は、見当違いのことを話しているんじゃないかという恐れからか、しだいに小さくなっていき、宙ぶらりんのまま消えてしまった。

たしかに、泥棒が盗むものとしては奇妙だが、純子はロープに引っかかって、メモにアンダーラインを引いた。具体的な使い方はわからないが、充分に丈夫なロープであれば、密室を構成する小道具になりうるかもしれない。

「もう一つ、お訊きしたいんですが、お子さんは、三人いらっしゃるんですね？」

麻美は、硬い表情でうなずいた。

「亡くなられた愛実さんと、小学校六年生の明日香さん。それから、一番上に、ご長男がいらっしゃるんですね。ええと、猛《たけし》さん、二十二歳ということですが？」

「猛《たける》です」

「失礼しました。それで、猛さんは、今、どちらにいらっしゃるんですか？」

麻美は、黙って首を振った。

「所在がわからないということですか？」

「高校を卒業して、就職もせずぶらぶらしてたんですが、四年前に家出をしてからは、音信不通です。たぶん、東京にいると思うんですが」

麻美は、身体を斜めにずらし、そのことには触れたくないという風情だった。

「すみません。一応、確認しておきたくて。猛さんが家出をした理由は、何だったんですか？」

麻美は、救いを求めるように平林弁護士を見てから、言葉少なに言った。

「理由なんて……親に意見されるのが嫌だったようです。生活のことだけじゃなくて、警察のご厄介になったことも幾度もありました」

「それは、どういう種類の非行ですか？」

「泥棒です」

麻美は、小さく吐き捨てるように言った。


純子は、西野家の中をくまなく見て回ったが、警察が調べたとおり、玄関、勝手口、縁側、窓以外の脱出路は存在しないことを再確認しただけだった。二階にも上がってみたが、平林弁護士の話では、犯行当日、窓はすべて内側から施錠されていたという。西野家の窓には、半月形のクレセント錠ではなく、ネジ締まり錠が付いている。棒状の鍵《かぎ》を差し込み、文字通りネジを締めるように窓を固定する方式で、いかにも古臭いが、防犯性能ではクレセント錠よりむしろ優れていると聞いたことがある。もっとも、榎本のようなプロであれば、これを外から締めるテクニックを知っているかもしれないが……。

純子は、大きく頭を振って、気合いを入れ直した。

「どうしました？」

平林弁護士が訊《き》く。

「いいえ、何でもありません」

純子は、苦笑した。榎本のことは忘れよう。今回は、何としても自力で謎を解かなきゃ。泥棒の助けなんか必要ない。

それにしても、築百年になろうかという日本家屋が、郷愁より不気味さを感じさせるのは意外だった。最近の建築と比べると、採光が悪く陰気な感じがするのはしかたがないかもしれないが、この家には、何か、それ以外の問題があるような気がする。いったい、なぜ、こんなに不吉な感じがするのだろう。家相や風水の類《たぐい》を信じたことはなかったが、何となく、とんでもない禁を犯して建てられてしまった家という印象なのだ。それに、何と言っても、ここでは、現実に殺人事件が起きているのだから。

一階に戻ったところで、自然の欲求を感じた。麻美に訊くと、厠《かわや》は南側の廊下を行った西の突き当たりにあるという。古風な呼び名に嫌な予感がしたが、案の定、汲《く》み取り式だった。木製の扉を開けると手水場《ちょうずば》で、危惧《きぐ》したほどではなかったが、アンモニア臭が漂ってくる。スリッパを履いて個室の扉に手をかけようとしたとき、天井に近い土壁の上にありうべからざる物体を認知して、全身が硬直した。

何、これ。いたずら。それとも飾り……。だけど、こんなにリアルな。本物。そんな。いくら何でも、こんなの、現実にありえない。

物体は、ゆっくりと動いた。

純子は、喘《あえ》ぐように大きく口を開けた。全身の毛が逆立つのを感じる。

およそこの世で、蜘蛛《くも》ほどおぞましいものはなかった。マンションの部屋に、小指の爪より小さなハエトリグモが出ただけで、隣の部屋に避難するほどだ。それが、この怪物のような蜘蛛と来たら、太く長い肢《あし》を入れると、人の手よりも大きい……。

頭が真っ白になり、気がついたら、廁を出て廊下の途中に座り込んでいた。数秒間の記憶が完全に消し飛ぶほどの恐怖だった。

「どうしたんですか？」

麻美の声がした。純子は、顔を上げた。

「いえ、何でもありません。ちょっと、立ちくらみがして」

「まあ、だいじょうぶですか？」

純子は、ありったけの意志の力を総動員して立ち上がった。やはり、この家には魑《ち》魅《み》魍《もう》魎《りょう》がいる。本当なら今頃は、軽井沢の小《こ》洒落《じゃれ》たホテルにいて、エキゾチックな香りのアロマオイルのマッサージで溜《た》まった疲れを癒《いや》しているはずだったのに。どうして、わたしだけが、こんな目に遭わなきゃいけないのよ。

「ご心配をおかけして、申し訳ありません。ここのところ、ちょっと仕事が立て込んでいたもので。でも、本当にもう平気ですから」

純子は、依頼人を安心させる、とっておきの笑顔を作った。絶叫しなかったのは上出来といえるが、実際は、恐ろしさのあまり、声を立てることすらできなかったのだ。この家はおかしい。魔物が棲《す》んでいる。密室殺人は、間違いなく妖怪《ようかい》の仕業だ……。

とりあえずは外に出たかったので、一人で家の周囲を調べてみることにした。

玄関を出て、すぐに深呼吸する。あらためて、信州の空気がいかに澄み切っていて美味《おい》しいか再認識した。純子は、ゆっくりと気を静めて、混乱した思考を立て直そうとした。まずは、犯人が逃走したと思われる北側を調べてみよう。

犯行のあった日からは二日が経過しているが、家の北側の粘土質の地面は、表面が多少乾燥しているくらいで、ほとんど状態は変わっていないようだ。足跡を付けずに横切ることも不可能だし、飛び越えられる幅ではない。その向こうの草地も歩いてみたが、こちらの方は、たいして痕跡《こんせき》を残さずに通れそうである。

脳裏に、犯人が逃走するイメージが浮かんだ。窓から向こう側の草地まで、長い梯子《はしご》のようなものを渡して、その上を通ったのだ。そうだ。やはりそれしかない。なんのために、そんな方法を用いたのかはわからないが、与えられた状況からすれば、他の可能性はないと言ってもいいだろう。

今回は、榎本の出番はない。純子は、心の中で舌を出した。

玄関に戻ってきたが、何となく家に入るのはためらわれて、純子はうろうろしていた。そのとき、再び、インスピレーションが訪れた。警察は、犯人が逃走したと思われる家の北側は、熱心に調査したに違いない。だが、玄関のある南側は、出入り口が施錠されていた上に目撃者もいたことから、かなりお座なりだったのではないか。

純子は、南側の庭を散策してみた。とはいえ、庭といえるほどの結構は何もない。村道に面しているが、道との境に溝があるだけだし、庭そのものにも、貧弱な庭木が数本植わっているきりである。

雨が降って乾いた剥《む》き出しの地面の様子は、北側とほとんど変わらなかった。やはり、何も見つかるはずはないか。そう思って諦《あきら》めかけた純子の目に、4、5cm四方の窪《くぼ》みが飛び込んできた。

これは、もしかすると……。

窪みはそれほど深くなく、おそらく雨のために、半分消えかけていた。だが、注意深く周囲を観察すると、80cmほど手前に別の窪みが見つかった。さらに、かなり離れた位置に、同じくらいの幅の二つの窪みがあるのを発見する。そこまでの距離を歩測してみると、180cmほどだった。つまり、窪みは四ヵ所あり、縦80cm、横180cmの長方形を作っているのだ。

最初に南側を見ていたら、もしかしたら、気がつかなかったかもしれない。だが、すでに純子は、犯人が逃走に使った道具は梯子ではなかったかと想定していた。そして、この四つの窪みは、その想像に現実的な裏付けを与えるものだった。おそらくこれは、大型の脚立の跡だろう。

ただし、北側ではなく南側にあるという点だけは、説明不能だが。

純子は、四つの窪みをさらに仔細《しさい》に調べた。すると、左前方の窪みの中に、何かがあるのを発見した。携帯電話で写真を撮ってから、おそるおそる、指でつまみ上げる。

それは、昆虫の死骸《しがい》だった。体長は1cmほど。胸の部分は細かい毛で覆われている。どうやら、ミツバチのようだ。腹の一部は潰《つぶ》れて扁平《へんぺい》になっていた。

純子は、蜂の死骸をつまんだまま家に入った。特に何かの証拠になるという確信があったわけではなかったが、とりあえずは保存しておくべきだという気がしていた。麻美に頼んで小型のジップロックのビニール袋をもらい、死骸を収める。

平林弁護士は、純子が虫の死骸を採取してきたことに対し、何の感想も述べなかったが、表情を見れば、考えていることは見当が付いた。

「それで、密室については、どうなんです。謎は解けたんですか？」

平林弁護士は、もはや猜疑心《さいぎしん》を隠そうともしない顔で問いかけた。

「とりあえず、仮説はあります」

純子が答えると、平林弁護士は、ほうという口になった。

「ただし、本当にそれが可能だったのかどうか、もう少し調べてみる必要がありますね」

「それは……いつ頃、結論が出るんですか？」

純子は、しばし瞑目《めいもく》した。ついさっきは、榎本抜きで事件を解決しようと思っていた。だが、こういう泥棒がらみの事件では、彼の知識と経験は絶大な威力を発揮しそうだ。

それに、早く解決のめどが立てば、軽井沢に戻ることもできる。

「今は、できるだけ早くとしか、言えません。実は、そのことについて、ご提案があるんですが」

麻美の方に向き直って言う。

「何でしょうか？」

純子は、溜め息をついた。

「こういう事件を調べる適任者がいます。探偵ではなく、防犯の専門家なんですが、起用した場合は、確実に早く結論が出せると思います。ただし、東京から呼び寄せた場合は、成功報酬と日当がかかりますが……」

麻美は、純子が挙げかけた数字を遮った。

「わかりました。ぜひ、お願いします」

3

翌朝、純子は、泊まった長野駅前のホテルのロビーで、コーヒーを飲みながら新聞記事をチェックしていた。長野の地方紙だけでなく、全国紙でも、荒神村の殺人事件の続報が詳しく伝えられている。中には、西野真之が『依然否認を続けている』と、まるで犯人であるかのような予断を持って報道しているものもあった。

目を上げると、通りの向こうから、黒いウィンドブレイカーを着た小柄な男が、やって来るのが見えた。榎本径だ。榎本は、純子に気づき、ガラス越しに会釈すると、ホテルに入ってきた。

「おはようございます」

「こんなに遠くまで、ご苦労様です」

純子は、新聞を置いて、素っ気なく言った。

「ブルーベリージュースをください」

榎本は、純子の向かい側に座ると、意外に愛想のいい笑顔でウェイトレスに注文する。

「ずいぶん、可愛《かわい》いものを飲むんですね。いつもは、コーヒー党なのに」

「朝早かったんで、コーヒーはポットに入れて、道々飲みながら来ました。それに、私の仕事は何と言っても、目が命なんです」

やっているのが、本当に防犯コンサルタントだけだったら、視力はそれほど必要ないはずだが。

「なるほど。青砥先生は、休暇中に引っ張り出されたようですね」

どうやら、いかにもリゾートファッションというワンピースを見て、言っているらしい。まさか、スーツが必要になるとは、思ってもみなかったから、持ってきた中では、これが一番恰好《かっこう》が付く服だったのだ。純子は、咳払《せきばら》いをする。

「……一応、現時点でわかっていることは、ファックスしたとおりなんですけど、どう思いますか？」

「そうですね」

榎本は、夢を見ているような大きな目を宙にさまよわせた。

「金価格はずっと上昇を続けてますが、30kgとなると、グラム三千円としても、九千万円になります。これだけの荒稼ぎなら、意図せざる殺人の原因になってもおかしくはないでしょうね」
　聞いていると、完全に、泥棒の視点になっている。
「一方で、30kgというのは、持ち運ぶには相当厄介な重量です。あらかじめわかっていた
のなら、車のような運搬手段を講じないで突撃する泥棒はいないと思いますよ」
「でも、リュックに入れて背負ったら？　富士山の強力《ごうりき》なんかは、１００kg以上の荷物を
運べるんでしょう？」
「強力と泥棒とでは、かなり事情が違います」
　榎本は、苦笑した。
「今回の侵入盗は、まず、現場を密室にして脱出し、さらに長い距離を逃走しなければな
らなかったはずです。そのどちらにおいても、30kgというのは、かなりのハンディキャッ
プですよ」
「金は、重さの割に嵩《かさ》がないから、隠しやすかったんじゃない？」
「たしかに、そうですね。まあ、重量に耐えられるなら、袋か何かに入れて、衣服の下に
隠すことも可能でしょう。でも、かりに体重70kgの男であれば、それがいきなり１００kg
になるわけですから、行動の自由はかなり制限されるでしょうね」
「つまり、何を言いたいの？」
「いや、まだ、漠然と想像していることがあるだけです。とにかく現場を見てみないと、

何とも言えません」

榎本は、運ばれてきたブルーベリージュースをストローで啜《すす》った。

「それより、青砥先生が見つけたという蜂の死骸を見せてください」

純子は、榎本にからかわれているのではないかと疑いながら、バッグからジップロックに入った死骸を出して、手渡した。

「……なるほど」

榎本は、真剣な目つきでビニール越しに虫を凝視している。

「自分で見つけといて、こんなこと訊《き》くのも変だけど、ミツバチに何かの意味があるんですか?」

榎本はうなずいた。

「ないとは言い切れませんね。虫けらといって馬鹿にはできないんです。日本ではあまりポピュラーじゃありませんけど、法医昆虫学という分野まで確立されているくらいですからね」

純子は、法医学と鑑識をテーマにしたアメリカの人気テレビシリーズ、『CSI:科学捜査班』の主人公グリッソムが、昆虫学者だったことを思い出した。

「あ。そういえば、西野家のトイレに物凄《ものすご》く大きな蜘蛛《くも》がいたんだけど。今まで、一度も見たことがないくらいの」

「そうですか」

期待に反して、榎本は無反応だった。

「あれ、ひょっとして、何かの手がかりにならない？」

「なりません」

榎本はにべもなかった。

「で、でも、信じられますか？　わたしの掌《てのひら》くらいあったんだけど……？」

「もし、人間くらいあったら、有力な手がかりになってたでしょうね。たぶん、そいつが犯人ですから」

純子は、少なからず気を悪くして、一口、コーヒーを飲んだ。

「アシダカグモですよ」

「え？」

「そんなに大きな蜘蛛は、本州には一種類しかいません。もっとも、見た目のインパクトが大きいんで、実際に測れば、掌までの大きさはないはずです」

「そう……でも、あんなに大きな蜘蛛って、何を食べて生きてるんですか？」

「蠅や蚊も食べますが、大好物はゴキブリですね」

訊かなければよかった。コーヒーカップに口を付けながら、純子は顔をしかめた。

「ついでに言っておくと、青砥先生が見つけたこの蜂は、ミツバチではないようです」

「じゃあ、何？」

「わかりません。少なくとも、私は一度も見たことのない蜂です」

榎本は、残りのブルーベリージュースを飲み干した。
「でも、これは私の勘ですが、この死骸《しがい》は大事に保管しておいた方がよいと思いますよ」

榎本の乗ってきた、『F&Fセキュリティ・ショップ』のロゴ入りのジムニーは目立ちすぎるので、ホテルの駐車場に残し、純子の運転するアウディA3で荒神村に向かった。到着すると、すぐに西野家を調査すると思いきや、榎本は、とりあえず周囲の様子から確認してみますと言い残して、どこかへ行ってしまった。

おかげで、純子は、手持ちぶさたのまま、取り残されることになった。調べるといっても、ここで思いつくことは、昨日、ほとんどやってしまったし、巨大な蜘蛛が跳梁跋扈《ちょうりょうばっこ》する西野家に入るのは、気が進まない。それでというわけではないが、関係者に話を聞きに回ることにする。

榎本が辻登美子のリンゴ園の方に上っていったので、純子は、西野家を訪ねてきた遠藤という村の郵便局員に会ってみることにした。郵便局は、来るとき車の中から見えたので、すぐにわかった。

「東京の弁護士さんですか？」

郵便局の奥の小部屋で、純子の顔と名刺を見比べながら、遠藤は驚いたように言った。長野の事件のために、わざわざ東京から出て来たことに驚いたのか、弁護士というお堅い職業のイメージを打ち壊すファッションと美貌《びぼう》に感嘆したのかはわからない。たぶん後者だろうと、純子は踏んだ。

「西野愛実さんが亡くなった事件について、お話を伺いたいんですが」

「本当に、ひどい事件で……。愛実ちゃんは、本当に可愛らしい、いい子だったのにな」

遠藤は、人のよさそうな大きな丸顔を歪《ゆが》めた。

「西野は、がっくりして、本当に、魂が抜けたみたいだったです。それなのに、警察は、西野を疑ってるっていうんでしょう？　そんな馬鹿なこと、あるわけないですよ。あんなに可愛がってて、これまで、手を上げたことだって、一度もないようなのに」

「ええ。西野さんの嫌疑を晴らすためにも、ぜひ、ご協力をお願いします」

「はあ。それはもう」

「遠藤さんが、あの日の午後二時過ぎに西野家を訪問されたのは、何か、ご用がおありだったからですか？」

純子は、単刀直入に訊《たず》ねた。

「まあ、用というほどのもんじゃないんですが」

遠藤は、堅いソファの上で居心地悪そうに、大きな身体をよじった。

「あの日、西野が帰ってくるって知ってたんで、ちょっと、頼み事をしようと思って」

「どういう頼み事だったんですか？」

遠藤の表情が暗くなった。

「それ、何にも事件とは関係ないでしょう。もしかしたら、俺、容疑者にされてるんですかね？」

「まさか。遠藤さんがあの家へ行ったときには、もう、愛実さんは亡くなってたんですから」

純子は微笑した。遠藤は腕組みをしてうつむいていたが、やがて、ぽつりぽつりと話し出した。

「変に隠し立てして、かえって疑われんのも嫌だから言いますけど、ちょっといい話があったんで、出資してもらえんかなと思って」

遠藤の語るいい出資話とは、かいつまんで聞いた限りでは、新手のマルチ商法らしかった。純子は、できるだけ刺激的な言葉を使わず、それとなく警告を発したが、遠藤に通じたかどうかは疑問である。

とはいえ、遠藤が経済的に困っているらしいことが窺《うかが》えたのは、収穫かもしれない。

「あの日のことに戻りたいんですが、西野家を訪れる前は、どうされてたんですか？」

「アリバイですか？」

遠藤は、急に二時間ドラマの登場人物になったような、胡乱《うろん》な目つきで問い返す。

「西野の家に行くまでは、ずっと家にいました」

「それを証明してくれる方は、いらっしゃいますか？」

「いませんねえ。俺、独り者なんで」

すでに四十代も半ばになっているだろうが、多少なりとも自分に興味を持ったかどうかを確認するように、ちらりと純子を見る。

「……西野さんの家に着いてから、どうされましたか？」

「呼び鈴を鳴らしましたが、出てこないんで、玄関の引き戸を開けました。あの戸は、建て付けが悪いんで、コツを知らないと、なかなか開かないんです」

「そのとき、どうして、西野さんがすでに帰宅しているとわかったんですか？」

遠藤は、ふんと鼻息を漏らした。

「玄関前に、あいつのワゴン車が止まってましたから」

「それから、どうしました？」

「西野を呼んだんですが、返事がなかったんで、勝手に上がらせてもらいました。俺らは、そういう気安い間柄なんで」

純子は、うなずいて先を促した。

「廊下を歩いて行って、奥座敷の襖《ふすま》を開けると……」

「ちょっと待って。なぜ、西野さんは奥座敷にいると思ったんですか？」

遠藤は、首をかしげた。

「何でかって……まあ、勘みたいなもんですよ。たぶん、ほかの場所には、全然人の気配がなかったからかな」

「あなたが襖を開けたとき、西野さんは、どんな様子でしたか？」

「さっきも言ったけど、魂が抜けちゃったっていうか。愛実ちゃんの遺体の前で、がっくりと座り込んでて。長いつきあいだけど、あんな西野は、今まで一度も見たことがなかったですね」

「それから、どうしました？」

「ええと。西野が、愛実ちゃんが死んでるっていうもんで、これはたいへんだと思って、外に飛び出しました」

「西野家からは、一一〇番通報はしなかったんですね？」

「頭が真っ白になってて、電話することも思いつかなかったんですよ。とりあえず、駐在所まで飛んでいきました」

「ずっと走って行かれたんですか？」

駐在所も車の中から見えたが、村はずれにある西野家とは、かなり離れているはずだ。

「まあ、そうですね。走っても十分はかかるんだけど、もう、無我夢中だったから。で、うまい具合に、斎田《さいだ》巡査がいたんで、事情を説明すると、斎田は県警に一報を入れてから、カスパーをつれて、自転車に乗って西野家に急行したんです」

「カスパーって？」

「シェパードですよ。県警でも指折りの優秀な警察犬だったそうですが、年取って引退してからは、斎田が引き取って飼ってるんです」

「なるほど。それで、あなたはどうされたんですか？」

「俺も戻りましたよ。でも、ずっと走ってきたんで、もうバテバテだったし、足も痛くなってたんで、ゆっくり歩いて行きました」

もう、遠藤に関しては、あまり訊《き》くことは残っていなかったので、純子は、気になっていたことを訊ねてみた。

「西野さんのご長男の、猛さんのことは、ご存じですか?」

遠藤は、複雑な表情になった。

「そりゃあ、狭い村のことだから」

「以前、村にいたときは、いろいろ問題を起こしたそうですね?」

「……猛は、根は悪い子じゃないんですよ。バイクとロックが好きな、どこにでもいるような若者で。ただ、ちょっと、何かが欲しくなると、自分を抑えられなくなるっていうか。西野は、あの子だけは育て方を間違えたって言ってたね。欲しがるものは何でも買い与えて、我慢させるということをしなかったって」

「最後に、猛さんの姿を見たのは、いつでした?」

遠藤は、ぎくりとしたようだったが、純子の顔を見ずに答えた。

「いつだろう。いや、全然覚えてないな。……まあ、猛が家出する前だから、四年前っていうことになると思いますけどね」

駐在所の斎田心平《しんぺい》巡査は、意外にも、まだ童顔の残る二十歳そこそこの青年だった。村の駐在というのは、何となく定年間近というイメージがあったからだ。

た。


「斎田さんは、この村のご出身なんですか?」

純子は、とっておきの笑顔を見せながら、相手を警戒させないように言葉を選んで話した。


「そうです」

「駐在所勤務も、ご自身で志願されたんですね?」

「ええ、まあ」

相手が弁護士ということもあってか、斎田巡査は、どことなく落ち着かない様子だった。

「生まれ育った村を守るなんて、素晴らしいことですよね」

「いや、そんな。まあ、たまたま欠員があったんで……」

純子は、斎田を褒めながら、世間話に引き込んでいった。若いとはいえ、いわば敵方である警察官から話を聞くのは、容易な作業ではない。警戒されてしまえば、万事休すなのだ。うまく誘導して、相手から自発的に話すように仕向けなければならない。

「……それで、すぐに、カスパーに臭跡を追わせたんです。まだ、犯人は、そんなに遠くへ行ってないって思ったんで」

十分もしないうちに、斎田巡査は熱く語り始めた。彼の心の琴線に触れる近道が、カスパーという警察犬にあることがわかれば、後は簡単だった。

「でも、それには、何か、犯人の臭いのするものが必要なんじゃないですか?」

純子は、メモを取りながら訊ねる。

「遺留品があったんですよ」

斎田巡査は、純子には初耳な事実を、あっさりと教えてくれた。

「ライターですよ。西野さんはタバコを吸うんですが、もっぱら百円ライターを使ってて。見つかったのは、ゼロ・ハリバートンとかいう高級品で、西野さんのお宅にあったもんじゃなかったんです」

「そのライターは、どこにあったんですか？」

「家の南側の廊下に落ちてました」

なぜ、そんなところにライターが落ちていたのだろうと、純子は思う。犯人は、縁側に面した廊下に行って、窓を開けて喫煙していたのだろうか。

「ライターには、指紋は？」

「その後、鑑識が調べてるはずですが、俺は、手を触れてないんで……。あ。そういえば、西野猛の指紋が出たって言ってたかな」

斎田巡査には、弁護士に対する警戒心は、まったくないようだった。勢い込んで、先を続ける。

「それで、ライターが落ちていた廊下までカスパーを連れてきて、臭いを嗅《か》がせました。犯人の臭いを認識したのは、たしかです。そこから、臭跡を辿《たど》らせたんですが……」

斎田巡査は、急に口ごもる。

「途中で、臭跡を見失ったんですね？」

「まあ」

「でも、まあ、しかたがないんじゃないですか？　あの家の中は、いろんな臭気が混じり合ってましたし」

純子は、西野家に籠《こ》もっていた、何ともいえない饐《す》えたような臭いを思い出した。

「いや、そんなものぐらいで、わからなくなるような犬じゃないんですよ。警察犬コンテストでは、足跡追及でも、臭気選別でも、常に抜群の成績で優勝してきましたし、老犬になって、激務には耐えられないということで引退はしましたけど、能力自体は、今も全然衰えてないんです」

斎田巡査は、むきになって反論した。

「じゃあ、なぜ、カスパーは、臭跡を追えなかったんでしょうか？」

「わかりません」

斎田巡査は、未《いま》だに納得がいかないという顔だった。

「家の中には、そこら中に犯人の臭跡が残ってたみたいです。カスパーは、それを追いかけて、一階から二階まで家の中をぐるぐる回ったんですが、結局、家から外まで続いていた臭跡は、発見できなかったんです」

「だけど、斎田さんは、外も調べてますよね？」

北側に残っていた、一対の人間と犬の足跡を思い出す。

「もし犯人が、裏庭の窓から跳んだんなら、そこでいったん臭気は途切れるでしょう？

それで、裏庭から草地までカスパーに臭跡を捜させたんですが、だめでした。まあ、外は早朝まで雨が降ってたから、地面は濡《ぬ》れてたし、わざと水溜《みずた》まりを踏まれれば、どうしようもないんですが……」

それには、犯人が助走もなしに5mもジャンプしたという、非現実的な仮定が必要になる。あるいは、忍者のように煙とともに消え失《う》せたか。

純子は、はっとした。忍者という言葉がヒントとなり、少なくとも、警察犬を混乱させられる脱出方法があることに気づいたのだ。……畳返しだ。この方法を使えば、犯人は、東西南北、好きな場所から逃げることができるではないか。

その先は、まだわからない。南側と東西はリンゴ園からの視界に入っていたし、北側に出れば地面に足跡が付くはずだからだ。だが、これだけの自由度を与えてくれる方法は、まず他にないだろう。

純子は、最後に、遠藤にしたのと同じ質問をぶつけてみた。

「斎田さんは、西野猛さんのことはご存じですよね？」

「はい」

斎田巡査は、銀紙を噛《か》んだような顔になった。誰もが、猛について語ることを好まないようだ。

「……中学まで、同級生でしたから」

「とても仲がよかったんですよね？」

思い切って、カマをかけてみる。

「そうですね」

斎田巡査は、遠藤と同じように複雑な表情になった。

「最後に、猛さんとお会いになったのは、いつですか？」

斎田巡査は、答える前に、あきらかに逡巡《しゅんじゅん》した。

「覚えてませんね。かなり前のことなんで」


携帯が鳴ったのは、昼前だった。榎本からである。純子が西野家の前で待っていると、ウィンドブレイカーを脱いで片手に持った榎本が、ぶらぶらと坂を下ってきた。

「お待たせしました」

ポロシャツ姿は、どう見ても、気楽な散歩を楽しんできた観光客にしか見えない。

「いやあ、驚きました。ここは、とても豊かな村ですね」

「そうですね」

たしかに、リンゴやブルーベリーなどの商品作物のおかげで、所得の高い農家が多いとは思うが、榎本の場合、どこを見てきてそう言っているのかわからないので、油断はならない。

「にもかかわらず、どの家も玄関に鍵《かぎ》をかけていない。いくら犯罪のない村でも、あまりにも無用心すぎますね」

この男は、どうやって、各戸の施錠の有無まで確認したのか。わたしはもしかして、リンゴの花が香る平和な村に、とんでもない害虫を呼び寄せてしまったのかもしれない。純子は、胸中に兆す疑惑を無理やり抑えつけた。もし、彼が本物の泥棒だったとしても、いくら何でも、殺人事件の調査中に犯行に及ぶことはないだろうし、いったん帰京してから、わざわざ、ここまで出稼ぎに来ることはないと思うのだが……。

荒神村には食堂は一軒もなかったので、純子は、あらかじめホテルで二人分のサンドイッチを作ってもらっていた。A3に乗って適当な場所を探すと、畑ではないようだが、黄色い菜の花が一面に群生している場所が見つかった。

車を降りると、地べたに腰を下ろして、サンドイッチを食べることにした。まわりは、どこまでものどかな風景だった。菜の花の隣には、これも黄色のタンポポが咲き乱れている。さらにその向こうには、満開のリンゴの花がどこまでも続いていた。平野の彼方《かなた》には、うっすらと冠雪した山々が霞《かす》んでいた。たぶん、北信五岳《ほくしんごだけ》と呼ばれる、飯縄《いいづな》、戸隠《とがくし》、黒姫《くろひめ》、妙高《みょうこう》、斑尾《まだらお》の各山だろう。

「さっき、辻さん夫妻とお話をしてきました」

ハムサンドを口に運びながら、榎本が言う。

「きれいな空気を吸って、日々美しいリンゴ園で働いているせいか、とても人柄のいい、穏やかな人たちですね」

「何か、わかりました？」

「ええ。いくつか」

榎本は、草の上で大きく伸びをした。きっと遠目には、ピクニックをしているカップルに見えることだろう。

「まず、西野家には、被害者の愛実さんと父親、それに遠藤さんの三人しか近づいていないという、辻登美子さんの証言ですが、充分、信頼に値すると思います」

「どうして、そういう結論になったの？」

「距離こそありますが、上から眺めると、リンゴ園から西野家は、思っていた以上に丸見えだったんですよ」

「でも、辻さんは、その間ずっと農作業を続けてたんですよね？」

純子は、反論を試みた。

「リンゴの花摘みというのを、実際に見学させてもらいましたが、あれは根気仕事ですね」

榎本は、純子の言葉が耳に入らなかったように言う。

「一本のリンゴの木には、一万の花が付くそうです。その中で、実まで育てる中心花だけを残して、まわりの余分な花を摘んでいくんですが、一本の木の花摘みに、約二時間かかるそうです。辻さんのリンゴ園では、脚立に乗っての作業を一カ月半も続けるんですが、ずっと手元を凝視しているわけではなく、合間合間には、必ず遠くを見て目を休めているそうです。そのときに、ちょうど西野家は、視界に入るんですよ」

だとしても、辻登美子に西野家を見張る意図があったわけではないし、彼女の注意がそれる十数秒ほどの間に、たまたま犯人が逃走したということもありうるのではないかと、純子は考えた。

「それから、あの蜂の正体がわかりました。あれは、マメコバチだったんです」

だったんですと言われても、純子には何のことやら、さっぱりわからない。

「リンゴの受粉用に飼われている蜂です。野生種は、ミツバチのような群れを作らず、花粉と蜜《みつ》を合わせた団子をヨシの中に蓄えて、卵を産み付けるんです。ミツバチと違って、めったに人を刺さず、扱いが便利なので、このあたりのリンゴ農家ではよく使われているようです」

「じゃあ、やっぱり、あの死骸《しがい》には、全然意味はなかったのね」

純子は、がっかりした。

「いや、そうでもありません」

「どういうこと？」

「辻さんにマメコバチについて訊《き》いたんですが、いろいろ面白いことがわかりました。まず、今年、マメコバチが飛び出したのは、犯行のあった日の二日前、五月四日です」

「どうして、そんなに正確にわかるの？」

「本来、マメコバチが羽化してヨシから出てくるのは、四月の上旬だそうです。したがって、梅の受粉には都合がいいんですが、リンゴには早すぎる。それで、飼っているマメコバチが成虫になる前に、ヨシの筒ごと冷蔵庫に入れてしまうんだそうです。リンゴの花の開花状況を見て、ヨシを冷蔵庫から出すと、マメコバチは、すぐさま羽化します」

「つまり、あの蜂が西野家に飛んで来たのは、犯行日の二日前から、わたしが見つけた、昨日の朝までの五日間ということね。でも、それがわかったからって……」

「まだ、あるんです。マメコバチは、翅《はね》が濡れると飛べなくなるために、雨が降ると、ほとんど飛ばないんだそうです。辻さんがヨシを出してから、急に天気が崩れたために、犯行のあった日までは、蜂はあまり外に出なかったはずです」

「だったら、天気が回復してから、あの朝、飛んで来たということ？」

だが、マメコバチの死骸は、窪《くぼ》みの中に半ば埋まっていた。だとすると、あの窪みができたのも、犯行のあった、五月六日の朝ということなのだろうか。

「ところが、それでも不自然なんです。マメコバチはきわめて行動半径が狭くて、普通は40mから、せいぜい70mまでしか飛ばないということでした。１００m以上も離れた辻農園から、花も咲いていない西野家に飛来する可能性は、かなり低いでしょう」

「野生のやつじゃない？」

「今も言ったように、季節が合いません。それに、西野家の周囲には、マメコバチが自生できるような葦原《あしはら》もないし、茅葺《かやぶ》き屋根の家も見あたりませんでした」

純子は、頭が混乱した。

「よくわからないけど、だったら、どういうことになるの？」

「蜂の死骸は、腹の部分が潰《つぶ》れていたのを覚えてますか？」

榎本が指摘した。

「あれは、おそらく、死後、何かに付着して、西野家まで運ばれてきたんだと思います。泥の中とはいえ、蟻に引かれなかったのは幸運でした」

「何にくっついてきたっていうんですか？」

「地面に残されていた四つの窪みを見れば、あきらかでしょう」

榎本は、白い歯を見せて笑う。

「辻農園で花摘みの作業に使われていた、脚立ですよ」

「……でも、なぜ、辻農園のものだとまで特定できるの？　マメコバチは、他の農園でも使ってたかもしれないでしょう？」

「たしかに、そうですね。ですが、先ほど辻登美子さんに聞いたんですが、犯行のあった日、リンゴ園の脇にある物置から脚立を出してみると、濡《ぬ》れているのに気づいたそうです。脚立が雨で濡れているときは、そのままほったらかしにすると、鉄の部分が錆《さ》びてしまいますから、しまう前に、必ず拭《ふ》くそうなんです」

「つまり、誰かが、脚立を拝借したっていうことね」

そう言ってから、純子は、気がついた。

「でも、犯行日には戻されてたっていうことは……」

「ええ。何者かが脚立を持ち出したのは、前日、辻さんが脚立を使ってから、翌日までの間ということになります。おそらくは、深夜のことでしょうね」

4

「脚立のことは、わたしも考えてたんですよ」

家の北側にある草地に立って、純子は言った。

「辻農園の脚立の跡が家の南側にあった理由は、まだ、よくわからないんだけど。少なくとも、そこの窓から5mも離れたこの草地まで、地面に跡を付けないで移動するためには、梯子《はしご》のようなものを掛けるしかないでしょう?」

榎本は、微笑した。

「なるほど。あの脚立は、高さが2・8mありましたが、ストッパーを外して開いたら、倍の長さの梯子としても使えるようになっていました」

「そうなんですか?」

だとすれば、目的にはぴったりのサイズではないか。

「しかし、犯人があの脚立を脱出に使ったというのは、ありえないでしょう。その時間は、100m離れたリンゴ園で使われていたんですから」

榎本は、冷水を浴びせるように言う。

「ええ。だから、犯人の脱出に使われたのは、別の脚立か、梯子だったと思うの」

「たいへん、面白いですが……」

榎本は、ひどくつまらなそうに言う。

「かりに、もう一つ、梯子があったとしましょう。もし、開いていた一階の窓に、滑らないようにしっかりと掛ければ、木製の窓枠と草地には、多少なりとも跡が残るはずです。そんなものがあったら、警察は、すぐに発見したでしょう」

「犯人が、何か、跡が残らないような工夫をしたかもしれないでしょう？」

我ながら、苦しい言い訳だと思う。

「それ以上に問題なのは、犯人は、その梯子を抱えて逃げたことになるということです。辻農園の脚立は、重さが15kgもあって論外ですが、5m以上の梯子となると、どんなに軽いものでも10kg以上はあるでしょう。30kgの金のインゴットという重荷があるのに、なぜ、梯子まで、後生大事に持って行く必要があったのか。しかも、草地に続く森の中は警察が捜索しているはずですが、梯子に類するものは見つかっていません」

「でも、脚立が使われたって言ったのは、あなたでしょう？」

純子は反撃したが、パンチは空を切った。

「密室からの脱出に使われたとは、一度も言ってませんよ。脚立の跡が残っていたのは、家の南側ですし」

「じゃあ、榎本説では、犯人はどうやって脱出したんですか？」

「結論は、だいたい固まりつつあります。でも、その前に、西野家の中を確認させてください」

純子は、預かった鍵《かぎ》で玄関の戸を開ける。この日は、平林弁護士は来ておらず、麻美も、娘を連れて長野市内に宿泊していた。

榎本は、家に入ると、一階を一通り見てから、二階に上がった。純子は、当惑しながら後を追う。榎本は、二階の窓のネジ締まり錠を、丹念に、一個ずつチェックしているようだった。

「二階の窓は、北側も南側も、すべて施錠されてたんですよ。犯人が、窓から出て、それを外から締める方法があるんですか？」

「ないこともないですね。戸と戸の隙間を利用して、ネジ締まり錠に釣り糸を巻き付けて回転させるという職人技は存在します。しかし、今どき、そんな無形文化財に近い技術を持った泥棒はほとんどいませんし、時間をかけて、わざわざ二階の窓を施錠するメリットがあったとは思えません」

そう言いながら、榎本は、南側の窓を順番に見ていく。

「……なるほど。これですよ」

榎本が指し示したネジ締まり錠は、一見、隣のものと同じようにしっかりと窓を固定しているようだったが、榎本が端をつまんで引っ張ると、抵抗なく抜けて垂れ下がった。

「ネジの部分が、馬鹿になってるんです。ですから、きちんとねじ込むことができずに、差し込んであるだけなんですね」

「差し込むだけなら、窓を閉めても、外からやれるんですか？」

そう言ってから、純子は、この窓が南側にあることを思い出した。ここから脱出したのでは、それこそ、リンゴ園から丸見えになってしまう。

「いや、それも、たぶん無理でしょうね。これは、脱出ではなく、犯人が侵入したときの話です」

純子は、馬鹿になったネジ締まり錠を、穴に出し入れしてみる。

「でも、単に差し込んであるだけでも、窓は外からは開きませんよね？」

「そう。このままではね」

曖昧《あいまい》な言い方をすると、榎本は階段を下りていき、玄関を出た。どこへ行くのかと思っていると、今度はガレージに向かう。家とガレージはつながっていないので、密室の解明にはまったく関係ないと思われるのだが、榎本はなぜか、中に置かれている車とバイクを熱心に調べていた。

純子が、ふとガレージの隅に目をやると、無造作に脚立が立てかけられていた。

「榎本さん。これ……！」

「脚立ですね。まあ、田舎の、これくらいの大きさの家なら、脚立の一つくらいあるのが普通ですよ」

「でも、これ、密室の解明につながるんじゃないですか？」

「いや、残念ながら」

榎本は、キーが差さったままのバイクのエンジンをかけて、しきりに首を捻《ひね》っている。

「この脚立だと、伸ばせば、ぎりぎり長さは足りるかもしれないわ……。この上を通れば、足跡を付けずに、北側の窓から脱出できるでしょう？」

「二つの理由から、答えはノーです」

榎本は、バイクのエンジンを切り、タイヤを調べ始めた。

「まず第一に、家の北側で、その脚立を使ったとしましょう。その後で、ガレージまで脚立を戻しに来るには、泥の上に足跡を付けるか、とんでもなく大回りしなければなりませんし、辻登美子の視界に入ってしまいます。それでは、トリックの意味がないでしょう。第二に、その脚立をよく見てください」

その言葉で、ようやく純子は、脚立が鎖と南京錠でガレージの柱に繋《つな》がれているのに気づいた。

「これじゃあ、簡単に持ち出すことは、できないわね」

「ええ。だからこそ、何者かは、前夜、脚立が必要になったときも、わざわざ１００ｍも離れた辻農園まで行って拝借してきたんです」

「でも、どうして、脚立に鎖なんて……」

「盗難を怖れたわけではないと思いますね。そこまで脚立を大切にする家は、見たことがありませんから」

榎本は、微笑した。

「盗まれるのを怖れたんでなければ、使われるのを嫌がったんでしょう。家出した長男の西野猛は、窃盗で捕まったことがあるということでしたね？　これは想像ですが、猛は、家出した後、脚立を使って家に侵入したことがあるんじゃないでしょうか？」

「じゃあ……」

純子は、はっとした。ようやく、脚立に関する話が、一つにつながったような気がする。

「西野猛は、殺人のあった前夜に、辻農園の物置から脚立を持ってきて、家の南側に立て、二階の窓から西野家に侵入したということ？」

「まだ、それが誰かは、断定できませんが」

純子は、犯人の行動を思い浮かべた。高さが2・8mもある脚立の上に立てば、二階の窓に手が届くだろう。でも、どうやって、施錠された窓を開けたのか。

「そうか。さっきの、ネジのところが馬鹿になったネジ締まり錠ね！」

「ええ。ただ単に穴に差し込んであるだけですから、外からコツコツと振動を与えれば、そのうち抜け落ちて、窓を開けられるはずです」

西野猛……いや、犯人は、二階の窓から侵入し、元通りに窓を閉めて、ネジ締まり錠を差し込んだ。そして、玄関を開けて、使った脚立を、元通り、辻農園の物置に返しに行ったのだ。

「でも、だったら、そんなに細かいこと……ネジ締まり錠が馬鹿になってることまで知っているのは、家族以外にありえないんじゃないですか？」

「たしかに、ここから侵入したのは、西野猛だった可能性が高いと思いますね」

「侵入したのは？　ということは、愛実ちゃんを殺して、密室から抜け出したのは、別人だったかもしれないってことですか？」

「そこまでは、まだ何とも……」

榎本は、言葉を濁す。

「ただ、この家から脱出する方法は、発見できました」

「本当？」

純子は、思わず叫ぶ。

「いったい、どうやるんですか？」

榎本は、はぐらかすような笑みを見せる。

「警察もおそらく、西野さんがクロという心証までは得ていないはずです。しかし、他の可能性が考えられないために、やむをえず勾留《こうりゅう》して取り調べを続けているというところでしょう。したがって、西野さん以外の人物が、犯行後、この家から脱出可能だったことを示せれば、西野さんは、身柄を検察に送られることもなく、釈放されるんじゃないでしょうか？」

「たぶん、そうね。警察を、そう納得させられればだけど」

つまり、密室を破ることができれば、ということだ。

「青砥先生。ここに、平林という弁護士と、捜査責任者を連れてくることはできますか？」

「それは、できないことはないと思うけど」

純子は、当惑していた。

「でも、警察を呼んで、どうするつもりなの？」

「私が実際に、足跡を残さずに、この家から脱出して見せましょう」

榎本径というのは、本質的には、臆病《おくびょう》なまでに慎重な人間ではないかと、純子は思っていた。新しい情報を得ても、その真贋《しんがん》や価値を見極めるまでは、けっして他人に開陳することはないし、マジシャンのような大見得を切るのは、マジシャンのように確実なネタを仕込んでいるときだけだろう。

だが、肝心のそのネタを知らされていない純子は、少なからずプレッシャーを味わっていた。本来味方であるはずの平林弁護士の、まるで失敗を願っているような底意地の悪い視線よりも、むしろ、太田という警部補の表情が気になる。苦虫を噛《か》み潰《つぶ》したような渋面を作ってはいるものの、その奥に、そこはかとない期待のようなものが感じられるのだ。もしかすると、太田自身も、西野が犯人だとは思いたくないのではないだろうか。榎本の実演が成功すれば、すぐに西野真之の釈放へと動いてくれるかもしれないが、その反面、期待が裏切られたときの反動が怖かった。

「お待たせしました」

榎本が、窓の内側に現れた。密室で、唯一開いていた、一階北側の窓だ。草地に並んだ三人は、拍手をするわけにも行かず、むっつりと押し黙ってなりゆきを見守っている。

榎本は、身軽に窓枠に飛び乗った。腰を屈《かが》めた姿勢から、建物の方を向いて立ち上がる。腰には、命綱のようにロープを結んであり、ロープの端は窓の向こうに消えている。

何をするつもりなのだろう。純子は眉《まゆ》をひそめたが、そのとき、榎本の靴が替わっているのに気がついた。ついさっきまではナイキのスニーカーだったが、上履きのようにソールが薄く二枚のベルクロで留める、見たことのないようなシューズに履き替えている。

さらに、榎本が小さな袋に手を突っ込み、両手指に白い粉をまぶすに及んで、ようやくその意図が明らかになった。平林弁護士は、口の中で妙な音を立てた。太田警部補は、身じろぎもせずにじっと凝視している。

窓枠に立った榎本は、右手を伸ばして、オーバーハングのようにせり出している庇《ひさし》の先端を掴《つか》む。しばらく、強度を確かめるように持ち替えたりしていたが、左手の指を樋《とい》を固定している金具にかけ、体操選手のように身体を浮かせたかと思うと、身体を右に傾がせて、左足を伸ばしてつま先を屋根に引っかける。あっと思ったときには、榎本は、すでに身体を屋根瓦《やねがわら》の上に引き上げていた。

「しかし、屋根になんか登ったら、リンゴ園の方から見えませんかねえ？」

平林弁護士が言う。あんたはどっちの味方なのよと、純子は心の中で突っ込んだ。

「一階の屋根に登っても、二階部分の陰から出ないように気をつければ、だいじょうぶですよ」

榎本は、意外によく通る声で答える。

「さて、ここからですが……」

「いや、ちょっと待ってほしい」

今度は、太田警部補が、唸《うな》るような声で待ったをかけた。

「あんたは身が軽いようだし、フリークライミングの心得もあるんだろう。しかし、忘れてるんじゃないか？　犯人は、30kgの金塊を持って逃げたんだぞ。30kgを背負っていても、今と同じ真似《まね》ができるのか？」

たしかにそうだと、純子は思った。30kgの重荷は、ひどく行動を束縛する。榎本自身、そう指摘していたのではなかったか。

「それについては、これからお見せします。まあ、30kg程度なら背負えないこともありませんが、西野家からは、金のインゴット以外に、洗濯用のネットとロープがなくなっていたことを思い出してください」

榎本は、動じた気配もなかった。腰に結んだロープをほどくと、投げ縄のように屋根にある銅製の鴟尾《しび》に引っかける。滑車と同じ要領でロープを引くと、反対側の端に結びつけてあった物体が、窓から外へとまろび出た。そのまま、揺れながらせり上がって来る。

「一本2・5kgの鉛のインゴットが十二本、計30kg相当が、洗濯ネットに入っています」

一見、やわに見える洗濯ネットだが、何重にも巻いてロープで縛ることによって、30kg

の重量にも耐えられるらしい。榎本は、荷物を引っ張り上げると、余ったロープをぐるぐる巻き付けて50㎝ほどを残した。それから、二、三度振り子のように大きく振ると、草地に向かって投擲《とうてき》する。

洗濯ネットにくるんだ30kgの鉛のインゴットは、三人が立っている場所よりずっと後方の地点に落ちた。

「なるほど。金塊のことは、それでいいだろう。でも、犯人は……あんた自身はどうするんだ？」

太田はさらに追及する。だが、声音はさっきよりずいぶん和らいでいた。

「ここから、飛び降ります」

榎本は、あっさりと宣言した。

「5mの距離を跳ぶのは、窓からは無理ですが、高さが3m以上ある屋根の上からなら、それほどの難事じゃありません」

榎本は、一、二歩、屋根を駆け下りるように助走をつけて跳ぶ。榎本の小柄な身体は、裏庭を大きく飛び越えて草地の上に着地し、柔道の受け身のような形を取って前に転がった。

一瞬、怪我《けが》をしたのではないかと心配になったが、榎本は、何事もなかったように立ち上がると、服に付いた泥を払う。

「……一か八かの、危険な賭《か》けというわけか」

太田警部補は、唇を舐《な》めた。

「そうでもありませんよ。下は草地ですし、あの日は、前夜から朝まで降り続いた雨で、土が水を吸ってましたから、泥濘に近い状態です。少し身が軽い人間ならば、恐怖心さえ克服できれば、怪我もせずに屋根の上から飛び降りられるんです」

「当然、犯人は、そのあたりの事情をよく知っている者、おそらくは、実際に跳んだことのある人間ということだな」

太田警部補は、大きくうなずいた。西野家の長男、猛を指していることに、疑う余地はないだろう。

「いやいやいや、驚きました。わかってみれば、何ですか、こんなに単純なトリックだったんですなあ！」

平林弁護士が、扇子を取り出してぱたぱたと扇《あお》ぎ始めた。

「我々は、二次元でしか考えてなかったんで、屋根に登るというのは盲点になってました。いわば、水平思考ならぬ、垂直思考というわけですか」

「そうか。なるほど……これなら、脱出が可能だっただけじゃない。他のことにも説明がつくな」

太田警部補は、屋根の上を睨《にら》みつけた。

「犯人が窓から屋根に上がったのなら、優秀な警察犬だったカスパーが臭跡を見失ったのも、不思議じゃないわけだ。犬は、跡を追って屋根には登れないからな」

「じゃあ、これで、西野さんの嫌疑は晴れたんですか？」

純子は、鼓動の高鳴りを感じた。

「……まあ、そのへんは、署に帰ってから検討する」

太田警部補は言葉を濁したが、純子は、これで流れが変わることを確信した。

冷静に考えてみると、侵入方法を始めとして、まだ何もわかっていないのに等しいが、少なくともこれで、西野真之氏以外に犯人はありえないという状況は覆せたのだ。後は、平林弁護士が、扇子をぱたぱたさせながら処理すればいい。

やった。純子は内心でガッツポーズを作った。これから車を飛ばして軽井沢まで戻れば、今晩の合コンには何とか間に合うではないか。

アウディA3で榎本を長野市内まで送っていく途中、純子は榎本に感謝の言葉を述べた。

「……それにしても、まさかあんなところを登れるなんて、思いませんでした」

「人間が本気になれば、つるつるの壁以外に、攀《よ》じ登れない場所なんて、ほとんどないんですよ」

榎本は言う。

「熟練したフリークライマーは、エアーズロックの、縦に一本亀裂《きれつ》が入っているだけの、垂直の断崖《だんがい》を登りますが、あんなところは、猿やネズミも含めて、他の哺乳類《ほにゅうるい》には絶対に登れないでしょうね」

「やっぱり、一番怖いのは人間ね。ここはだいじょうぶなんて高をくくったりせず、しっかり防犯対策を講じとかないと」

純子は、上機嫌に笑った。

「でも、榎本さんだからこそ、登れたってこともあるんじゃない？」

榎本は、うなずいた。

「まあ、多少のテクニックは必要でした。あの家の屋根は、フリークライミングの取っ手《ガバ》とは違い、頼りない手がかりばかりで、なかなか一ヵ所に全体重を預けられないんです」

榎本は、首をかしげた。

「それに今日は、何よりも、幸運に恵まれたというべきでしょう」

「どういうことですか？」

「屋根瓦が、濡《ぬ》れていませんでしたからね」

そういえば、犯行当日、屋根瓦は、まだ濡れていたのかもしれない。しばらく、沈黙が続いた。

「榎本さん。実は、わたし、一つだけ疑問が残ってるんですけど」

「何でしょう？」

「犯人……おそらく、西野猛だと思いますけど、どうして、一階の窓から屋根に登ったりしたんですか？　二階の北側の窓から出れば、ずっと簡単だったと思うんですけど」

「そうですね。たしかに、そこは弱点なんです」

え。どういうこと。

「まあ、もし、西野猛が逮捕されるようなことがあったら、訊《き》いてみてください」

5

杉内航太《すぎうちこうた》は、愛車のカルマンギアを止めると、助手席を見やった。

「どうすんだよ？」

「ちょっと待ってて。猛の部屋にｉＰｏｄ置きっぱなしだから、取ってくる」

ずっとエクステをいじっていた山崎里香《やまざきりか》が、ガムを嚙《か》みながらそう言うと、助手席のドアを開けた。

「猛って、部屋にいんのかよ？」

「合い鍵《かぎ》ー」

里香は、肩越しにキーホルダーをじゃらじゃらと振って見せると、車を降りた。木造アパートの鉄製の階段を上っていくのを見送る。

「猛さん、どうしてんのかなあ？　こんところ、携帯もつながんねえし」

後部座席にいる川窪大志《かわくぼだいし》が、一瞬だけ、ゲーム機から顔を上げて言う。

「いつものことだろ？　なんか、ヤバめの仕事に行ってんだよ。それで、借金返したら、豪遊して、また借金作って……」

航太は笑うと、マリファナをくわえて、ジッポーで火をつけた。

「何でもいいんだけど、早いとこ、俺らにも金返してもらわねえとな。下手すっと、こっちが、筧《かけい》さんに追い込みかけられるからな」

「うわー。きっつ」

大志は叫んだが、視線はゲーム画面から離さない。

「だったら、猛さんの部屋ん中でも見てきたら、どうっすか？」

「馬鹿。金目のもんなんか、あるかよ」

しばらく会話が途絶える。航太は所在なげにマリファナをふかし、車の中は甘ったるい臭気でいっぱいになったが、大志は気にした様子もなかった。

「遅《おせ》えなー」

航太は、助手席の窓から、里香が入っていったアパートを透かしてみた。建物は左手を向いており、猛の部屋は二階の一番奥なので、ここからは見えない。階段を下りてくる足音がしたので、里香かと思って期待したが、背広を着た三十過ぎのオッサンだった。しばらくすると、今度はノルフェイスのヘルメットを被《かぶ》った背の高い男が下りてきたが、その後、再び、あたりは静まりかえってしまった。

「俺、ちょっと、見てくるわ」

航太は、貴重なマリファナを灰皿で揉《も》み消すと、車から降りた。里香が行ってから、もう、二十分以上はたっているだろう。いくらiPodを捜しているにしても、遅すぎる。

大志は、画面をにらんだまま、黙って片手を上げた。

カルマンギアのドアを閉めると、『カサ・ネグラ』というプラスチックのネームプレートのついた門を通る。アパートの正面、こちらから見て左にあるのは都営住宅らしく、アパートの裏手にあたる右側はゴミだらけの空き地だった。鉄製の外階段を上がると、普通に歩くだけでも騒音に近い響き方をした。これでは、住人に諍《いさか》いが絶えないかもしれない。まあ自分には関係ないし、どうでもいいことだが。

二階の廊下を歩き、一番奥の猛の部屋をノックする。返答はなかった。

206号室。表札は出ていないが、何度か来ているので、この部屋に間違いない。ドアノブを回してみると、あっさりとドアは開いた。

航太は、「おーい。何やってんだよ?」と言いながら、靴を脱ぎ、中に入った。

煌々《こうこう》と明かりのついた室内には、ビールの空き缶やコンビニのビニール袋、雑誌などが雑然と散らばっており、足の踏み場もない。

「里香ー?」

いないわけはない。帰りの足もないのに、こんな場所で里香がバックレるはずがないし、ここには階段は一つしかないのだ。部屋の中を見回していた彼の視線は、押し入れの前にある毛布の掛かった物体で留まった。膨らみ方が、いかにも不自然だった。鼓動が速くなった。

航太が思い切って毛布を引き剝《は》ぐと、下から、タンクトップにミニスカートを穿《は》いて、俯《うつぶ》せになった女の身体が現れた。大きくウェーブのかかったセミロングの茶髪。携帯ストラップのような細いエクステの束。

里香だ。航太は、あわてて抱き起こそうとしたが、彼女の頭は腕の中でがっくりと折れた。両腕も、力なく床に垂れ下がっている。

「お、おい、里香。どうしたんだよ?」

航太は、ようやく、彼女が絶命していることに気づいた。


純子は、タクシーを降りた。木造アパートの前には三台のパトカーが止まっており、夕景に回転灯がネオンサインのような彩りを添えている。門には立ち入り禁止の黄色いテープが張られ、すでに人勢の野次馬が集まっていた。

表情がこわばるのを感じる。深呼吸をしてから、近くにいた警官に来意を告げた。黄色いテープをくぐって中に入る。

「青砥先生ですか?」

体格のいい私服の刑事が、早足にこちらにやって来て言う。

「はい。先ほど、お電話をいただいて」

「こちらへどうぞ」

野次馬から見えないようにという配慮からか、パトカーの後部座席に乗せられる。まるで、容疑者になった気がした。後から、日に焼けた貧相な小男が運転席に乗り込んできた。

「警視庁東中野署の鵜飼《うかい》です。わざわざおいでいただき、恐縮です。ここのアパートの2

06号室で殺人事件があったんですが、この部屋に住んでいたのが、西野猛、二十二歳と判明しました。西野は、重要参考人として、長野県警から指名手配されていますが、そちらの事件については、青砥先生がよくご存じですよね？」

「ええ、まあ。……西野猛がここにいたことは、事件が起こるまでわからなかったんですか？」

「まったくの別人の住民票で、契約されてましたので」

鵜飼は、渋い顔になる。

「それで、被害者は誰なんですか？」

「山崎里香、十九歳。無職です」

聞いたことのない名前だったので、そう伝える。鵜飼は、手帳を取り出した。

「西野猛の、元カノっていうんですかね。一時、半同棲《はんどうせい》状態だったらしいんですが、部屋に忘れ物をしたので、取りに来たということです。二人の男友達、杉内航太、二十三歳と川窪大志、二十一歳が表に止めた車の中で待っていたが、杉内の方が、あまり戻りが遅いので様子を見に行くと、死んでいるのを発見したということなんです」

鵜飼は、糸のように細い目を見開いた。

「それで、青砥先生には、二、三、質問をさせていただきたいんですが……」

「ちょっと待ってください」

純子は、自己防衛用の鉄仮面のような笑顔を作った。放っておくと、話がどんどん訳のわからない方向に進んでしまいそうだ。

「わたしに話をお聞きになりたいという理由は、何でしょうか？　たしかに、西野猛の妹が殺害された事件では、猛が重要参考人になっていますが、彼には会ったこともありませんし、東京でどういう生活をしていたのかも知りません。それにですね、わたしは、西野真之氏から依頼を受けていましたから……」

「いやいや、微妙なお立場は、重々理解しています」

鵜飼は、しかつめらしくうなずく。

「弁護士さんに、依頼人の不利益になる可能性のあることは、伺いません。ただ、何といいますかねえ、ちょっと妙な状況になってるんで、参考までにぜひ、忌憚《きたん》のないご意見をお聞かせいただけないかと思いまして」

「妙な状況、ですか？」

鵜飼という刑事はやけに下手に出てくるものだと、純子は思った。これまでの経験で、警察が下手に出るときは、必ず何らかの魂胆があるとわかっている。

「はい」

鵜飼はうなずいて、前の座席から身を乗り出した。細い目からは何の感情も読み取れないが、妙に鼻の下が長く、唇が薄いのが、目についた。この男は、『したたかな農夫』だと、純子は第一印象をキーワードでまとめた。

「このアパートの二階に上がる階段は、手前の一カ所だけなんです。先ほども言いましたが、被害者の男友達二人が車の中で待っており、階段には注意を払っていました。被害者が上がって行ってから、第一発見者の杉内が様子を見に行くまでの間に、階段を下りてきたのは、二人だけだったということなんです」

鵜飼は、再び手帳に目を落とした。

「この二人の男は、すぐに特定されました。一人目は区役所の職員で、202号室に住んでいる一人暮らしの老人を訪問していました。老人自身が、職員が辞去した直後に階段を下りる音を聞いていますし、時間的に犯行は不可能です。二人目は、203号室の住人で、バイクでツーリングに出かけるところでした。同居している母親と、たまたま訪れていた近所の主婦がアリバイを証言している上、階段の音とバイクのエンジン音も聞いています」

純子は、違和感を感じていた。テレビドラマとは違い、警察が、訊《き》かれもしない捜査の状況をぺらぺらと喋《しゃべ》ることなど、そうそうあるものではない。

「あとは、二階の住人の誰かが、206号室を訪れて犯行に及び、すばやく自室に帰ったという可能性ですが、杉内が見に行くまでの二十分の間に、しかも、ほぼ五分刻みで出てきた二人の男にも目撃されずに犯行をやり遂げるのは、きわめて困難でしょうな」

「でも、もし、その住人の誰かが、窃盗のために、先に206号室に忍び込んでいたとしたら、どうですか？」

純子は、思いついた可能性を言ってみた。

「そこへ、山崎さんが訪れ、鉢合わせになる。犯人は、山崎さんを殺害し、外の廊下の様子を窺《うかが》ってから、すばやく自室に戻った……」

「その線はあるかなと、我々も考えました」

鵜飼は、薄い唇を歪《ゆが》めた。

「しかし、犯行当時、201号室と205号室は留守でした。202号室は先ほど述べた独居老人で、体力的にも犯行は難しい上、区役所の職員が逆にアリバイを証明しています。203号室はバイクのツーリングに行った若者とその母親、近所の主婦で、こちらも、強固なアリバイ証言があり、三人とも共犯でないかぎり、206号室に忍び込むのは不可能だったはずです。残りは204号室だけですが、ここに住んでいる女性は、犯行時間を挟んで二時間以上、長電話をしていました。裏も取りましたが、相手は女性の知り合いではなく、大手デパートの顧客クレーム係です」

純子は、考え込んだ。

「杉内さんと、もう一人の男性が、嘘をついているということは?」

「可能性は低いですね。隣の都営住宅の主婦が、アパートの前に止まっている見慣れない車を不審に思い、監視していたんです。山崎里香がアパートの二階に上がって行ってから、約二十分間、二人の男は車で待ってから、一人が後を追ったと証言しています。ありえるとすれば、杉内の発作的な単独犯行ですが、だとすると、それから大騒ぎして警察を呼んだことが、どうにも腑《ふ》に落ちません。その後の態度を見ていても、私には、あの男はシロとしか思えないんです」

鵜飼は、よほど犯人の鑑識眼には自信があるのだろう。

「あ。待ってください。犯人は、窓から逃げたんじゃないですか？　裏手は空き地だし、二階からなら飛び降りられるでしょう？」

荒神村の事件が念頭にあったからだが、鵜飼は首を振った。

「窓には、クレセント錠がかかっていました。外からかけるのは、不可能ですよ」

純子は、頭がくらくらしてきた。

「ちょっと、待ってください。それじゃあ」

「もし杉内が犯人でないとすれば、現場は、密室だったことになります」

鵜飼は、溜《た》め息をついた。

「しかも、長野の事件について聞けば聞くほど、類似点が多いように感じました。それで、青砥先生に無理を申し上げて、わざわざお運びいただいたわけです」

そのとき、コツコツとパトカーの窓を叩《たた》く音がした。鵜飼が窓を開ける。制服警官の横に立っているのは、榎本だった。

「青砥先生。遅くなりました。……鵜飼さん、お久しぶりです」

鵜飼は、呆気《あっけ》にとられていた。

「何で、おまえがここにいるんだ？」

「私は、青砥先生のアドバイザーとして、二週間前、長野へも同行しました」

「そうか」

鵜飼の目は、農夫というより狩人《かりうど》を思わせる鋭い光を帯びた。

「それで、どうだ？　だいたいのことは、もう聞いてるんだろう？　何かわかったんなら、もったい付けずに教えろ」

鵜飼の口調のぞんざいさは、とても一般人が相手とは思えない。

「一つだけ、確認させてください。死因は撲殺で、凶器は見つかっていないんですね。もしかして、それは、厚みが1㎝くらいの、小ぶりの鈍器ですか？」

鵜飼は、ぽかんと口を開けた。

「遺体の傷は、だいたい、おまえが言うのに合致するが……」

「だったら、たぶん、凶器は裏の空き地にあると思いますよ。袋か何かに包まれて」

鵜飼が何か言おうとしたとき、刑事がこちらに向かって走ってきた。

「警部補殿。凶器が発見されました！」

「どこにあった？」

「裏の空き地です。紙袋とコンビニの袋で二重に包まれてました。血痕《けっこん》のようなものも、目視できます。し、しかしですね、この凶器は……」

「待て」

鵜飼は、しゃがれ声で、興奮している刑事の言葉を制した。

「その先は言うな。榎本。ちょっと来てくれるか？」

「わかりました」

榎本と鵜飼が去っていく後ろ姿をパトカーの中から見ながら、純子は、異次元の世界に迷い込んだような感覚にとらわれていた。


榎本の運転するジムニーは、練馬《ねりま》ＩＣから関越《かんえつ》自動車道に入った。

「……説明してもらえる？」

純子は、景色を眺めながら言った。あたりはすっかり暗くなっており、上端がカーブした防音壁と自動車のテールランプ、対向車線のヘッドライトくらいしか見えない。

「わかりました。何から、始めましょうか？」

榎本は、沈んだ声音で言う。運転席に視線を移すと、いつになく真剣な横顔が映った。

「じゃあ、まず、二つの密室殺人の関連は、どうなってるの？」

榎本は、しばらく沈黙した。

「……東中野の方の事件は、密室といえるような代物ではありません」

この男は、密室の評論家にでもなったのか。

「でも、長野の事件では裏窓は開いていた。今度は、閉まっている。普通に考えれば、今回の方が、密室としてはより強固だったんじゃない？」

「そういう見方も、ありますか……」

口調は神妙だったが、言っていることは何となく腹立たしい。

「しかし、東中野の事件は、いわば最初の事件が生んだ『影』のようなものにすぎません。その意味では、私にも責任の一半はあります」

「どういうこと？」

「最初の事件の処理をうやむやにしてしまったがために、結果的に、第二の事件を誘発してしまったということです」

「うやむや？」

純子は、呆気にとられた。

「たしかに、犯人が西野猛だったと、きちんと特定したわけじゃないけど。でも、それは警察の仕事でしょう？　わたしたちの役目は、西野真之さんの容疑を晴らすことだったんだし」

「長野の事件では、裏窓が開いていたから、密室として強固ではなかったと言われましたね」

榎本は、嘆息するように言う。

「それでは、屋根に登って跳躍するという単純きわまりない方法に、なぜ誰も思い至らなかったのでしょうか？」

「それは、やっぱり、ある意味、意表をついていたんじゃない？」

「違うと思います」

榎本の口調に、シニカルさが戻ってきた。

「それは、あまりにも馬鹿げているからですよ」

「ちょっと、それ、どういう意味？」

「そもそも、人を殺して金塊を奪い、一刻も早く逃げたいというときに、わざわざ屋根に登る人間がいますか？」

「それは……」

純子は、絶句した。今さら、何を言い出すのか。

「しかも、その直後に、30kgもの重さの荷物を引っ張り上げなければならないんです。いいですか、いくら村はずれにある家で、リンゴ園からは死角になるとはいっても、わざわざ、自分を目立たせるためにしているとしか思えません。どこから目撃されるか、わからないじゃないですか？」

「それが真相だと言ったのは、あなたなのよ？」

榎本は、純子の抗議など聞こえなかったかのように続けた。

「犯行当日の朝まで、細かい霧雨が降り続いていました。犯人が西野猛だとして、かりに何度も屋根に登ったことがあったとしても、濡《ぬ》れた屋根瓦《やねがわら》の上に登るのは非常に危険です。しかも、想像する以上に急勾配《きゅうこうばい》ですし、屋根の老朽化を考えると、瓦自体がきちんと固定されているかどうかすら心許《こころもと》ない。私だから登れたとは言いましたが、もしあの日、瓦が濡れていたら、さすがにあのパフォーマンスは中止していました」

運転中でなければ、この男の顔面に、一発パンチを食らわせてやりたい。

「だいたい、飛び降りるつもりなら、二階の北側の窓から出ればいいじゃないですか？　どうして、わざわざ一階の窓から屋根に攀《よ》じ登らなきゃならないんです？」

「だから、わたしは、あなたに、そう訊《き》いたじゃない？」

「それに、屋根の上から飛び降りれば、いくら地面が軟らかく、草がクッションになったとしても、足を痛めるリスクは高いでしょう。下手をすると、捻挫《ねんざ》どころか骨折も覚悟しなくてはなりません。人を殺して、30kgもある金塊を盗み、これから必死で逃げようという大事なときにですよ？」

純子は、黙り込んだ。

「さらに言えば、あの草地は休耕田でしたが、大きな岩や尖《とが》った石、場合によっては割れた空き瓶などが転がっていないという保証はありません。最悪なのは、かりに、そうしたものがあったとしても、草に隠れて見えないことです。まあ、私は跳ぶ前に、入念に下調べをしておきましたが」

「もう、けっこうです。よくわかりましたから。たしかに、あの方法は、あまりにもリスキーだったかもしれないけど……」

「リスクが大きいだけじゃありません。もっと大きな問題は、犯人には、そんなことまでして現場を密室にしなければならない理由は、何一つないということです」

榎本は、冷徹な声で、さらなる追い打ちをかける。

「現場が密室になったことで何かメリットがあるとすれば、自殺か事故に偽装することくらいですが、この場合、自殺は問題になりません。西野愛実の遺体は放置されたままで、事故に偽装しようとした形跡もないんです。金塊も盗まれているわけですし、どんな馬鹿が見たって、犯罪が行われたことは明白でしょう」

「でも……自分の足跡を残したくなかったというのは、考えられない？」

「考えられません。足跡を残したくないだけなら、普通に窓から出て、足跡を踏み消しておけばいいんです。リスクもないし、時間もまったくかかりません」

まるで、被告人から逆に責められているような気がした。理不尽な状況だが、言われっぱなしでは業腹なので、あえて反論を試みる。

「あの、太田という警部補が言ってたじゃない。臭跡を絶って、警察犬の追跡をかわすためだったんじゃないかな？」

「考えすぎですね」

榎本は、首を振った。

「優秀な警察犬だったとはいえ、村の駐在が飼っている老犬です。かりに犯人がカスパーのことを知っていたとしても、そのために、そこまで大きなリスクを冒すでしょうか？　それに、降り続いた雨のせいで、現場付近は臭跡を辿《たど》るには最悪のコンディションでした。水溜《みずた》まりの中を歩いたりとか、犬をまく方法はいくらでもあります」

「ちょっと待って。だったらなぜ、犯人は屋根から跳んで逃げたなんて、警察に嘘をついたの？」

榎本は答えなかった。たぶん、黙秘権の行使には慣れているのだろう。純子は溜め息をつく。この男は、あの大嘘が功を奏し、たった半日の仕事で多額の成功報酬をせしめているのだ。犯罪者に協力を依頼する時点で、こうなることも予想しておくべきだった。

榎本が嘘をついた真の理由が、九千万円相当の金のインゴットにあったのではないかという疑いは、まだこの時点では、純子には兆していなかった。

「まんまと、わたしたちを騙《だま》したのね」

榎本は、ちらりと純子を見た。

「青砥先生は、西野真之の容疑を晴らす材料を見つけることしか念頭にありませんでした。だから、犯人の脱出方法について都合のいい説を示されると飛びつき、客観的な視点での検証を怠ったんです。警察は警察で、なぜ犯人がそんなことをしたのかではなく、犯行が物理的に可能だったかどうかだけを問題にしていました。動機が不可解な場合は、捕まえてから訊けばいいというのが、彼らの考え方ですからね」

耳が痛い指摘だった。嘘をついた張本人から言われるのは、納得がいかないが。

「……第二の事件は、長野の事件が生んだ『影』だって言ったわね。つまり、あなたが長野の事件の真相を暴かなかったために、犯人は、再び同じ手口を使って、犯行に及んだっていうこと？」

今度こそ、自信を持って言ったのだが、榎本の返事は純子の期待を裏切るものだった。

「全然、違います」

ジムニーは新座《にいざ》料金所に入り、榎本は通行券を受け取った。

「東中野の事件では、犯人は、現場が密室になったことなど知らないと思いますよ」

「どういうことなの？　じらさないで、はっきり言って」

榎本は、再びジムニーを加速させていく。

「犯人は、ある理由で、あの部屋、206号室にいました。そこに突然、山崎里香という女性が現れたんです。鉢合わせしてパニックに陥った犯人は、手にしていた凶器で彼女を撲殺してしまいました。そして、あわてて窓から飛び降りて、雲を霞《かすみ》と逃げ去ったんです」

それで説明は終わったというふうに、榎本は、片手で後部座席から魔法瓶を取り出した。

「コーヒーをいかがですか？　さっき淹《い》れたばかりのブルーマウンテンです。そこに紙コップがありますから、私の分も注いでいただけるとありがたいですね」

「ねえねえ。覚えてる？　206号室の窓には、クレセント錠がかかっていたのよ？」

「警察が来たときには、たしかにそうでしたね」

「どういうこと？」

「窓を施錠したのは、第一発見者の杉内航太です」

「なぜ⁉」

「杉内は、遺体を見つけた直後、凶器も発見しました。そこで、凶器を袋にくるみ、窓から空き地に投げたんです。あの空き地はゴミだらけなので、コンビニの袋なら目立たないし、後でこっそり回収できると踏んだんでしょうね。次に、窓にクレセント錠をかけた。警察の注意が空き地に向けられるのを防ぐためです。彼は、犯人が窓から逃走したとは、夢にも思っていなかったはずです。車の中で階段を下りてきた二人を見たため、そのどちらかだとばかり思い込んだんでしょう。浅慮から愚行に走り、結果、自ら嫌疑を招くという自縄自縛に陥ったわけです。おそらく今頃は、鬼の鵜飼警部補の尋問に震え上がって、カナリアのように囀《さえず》っていることでしょう」

「ちょ、ちょっと待って」

純子は、魔法瓶から注いでいたコーヒーをこぼしそうになった。

「いったい、どういう理由で、杉内航太は、凶器を袋に入れて窓から投げたりしたわけ？」

「ああ、どうもすみません」

榎本は、左手で紙コップを受け取る。

「それは、凶器が、例の金のインゴットだったからですよ」

6

純子が質問するのをやめてからは、榎本もそれ以上の説明はしなかったので、車内に沈黙が訪れた。真相を知りたいという気持ちは抑えきれないほど強かったものの、このまま、何もかも教えてもらうのは悔しくてならない。大嘘をついておきながら、人を見下したように喋《しゃべ》る榎本の態度には、我慢がならなかった。屋根から跳んだという与太話を無批判に受け入れたのは、たしかに、自分にとってはその方が都合がよかったからかもしれない。だからこそ、今度こそ到着するまでに自力で謎を解いて、この男を見返してやりたいと思う。

やがて、ジムニーは左折し、藤岡《ふじおか》ジャンクションから上信越《じょうしんえつ》自動車道に入ったが、純子はなおも、沈思黙考し続けていた。

「偽装だったっていうこと?」

ようやく、ぽつりと言う。

「何がですか?」

「西野家の北側の窓が、開いていたこと」

「犯人が、捜査を誤った方向に導くために、わざと開けておいたということですね。なぜ、そう思いました?」

純子は目を閉じて、今までの思考の流れを反芻《はんすう》した。

「どう考えても、犯人が、あの窓から脱出した方法がわからないからです。地面に足跡を残さないように、あらかじめ何か下準備をしてきたとすれば、可能だったかもしれない。でも、偶発性が強い殺人だったようだから、それは考えにくいわ。死因からも、半ば事故だったことが窺《うかが》えるし、犯人が誰だったとしても、中学生の女の子を計画的に殺さなければならないような、動機が見あたらないし」

「殺人は偶発的だったとしても、侵入盗の方は、計画的だったかもしれませんよ？　だとすれば、トリックの用意があったとしても不思議ではないでしょう」

「その場合でも、やはり不自然よ。だいたい、犯人があの家を密室にしようとした意図が不明だし、裏窓が開いてたんじゃ、あまりにも中途半端な工作でしょう？　あなたが言うように、殺人ではなく、窃盗だけを念頭に計画を立てていたんなら、なおさら密室にしたのが意味不明になるし」

「あの窓は、たまたま開いていたということは？」

純子は、首を振った。

「西野さんも奥さんも、旅行に行く前に、家中の窓を全部閉めたと供述している。玄関の鍵《かぎ》を付け替える用心深さからしても、一カ所だけ忘れるとは思えないわ。ネジ締まり錠は、施錠されていないと一目瞭然《いちもくりょうぜん》だし」

榎本はうなずいた。

「被害者の西野愛実が、帰宅後、一カ所だけ裏窓を開けたという可能性は残りますが、その理由は、どうにも想像しにくいですね。換気のためだったら、あんな離れた場所の窓を一つだけではなく、もっと多くの窓を開けるはずでしょう。実は、私も、あれは偽装工作ではないかと考えました」

純子は、束《つか》の間、ささやかな勝利の感覚を味わった。

「すると、次の疑問が浮かんできます。偽装だとすれば、いったい何のためにやったんでしょうか?」

それが、問題だった。

「……犯人が西野猛であると思わせるため?」

「つまり、西野猛は、犯人ではないということですか?」

純子は、うなずいた。

「西野猛の名前は、今回、あちこちから聞こえてくるけど、誰一人として姿を見ていない。まるで、あの村の狐火のようなものじゃないかと思うの」

「狐火は、実在しますよ」

「西野猛も、実在はしているわ。狐火のメカニズムって知ってる? 温度の違う空気の層がレンズのような役目を果たして、光をねじ曲げることでできるんだそうよ。狐火が見えるのは、実際に発光している本体とは違う場所なのよ」

「なるほど。おもしろいですね」

狐火は、わたしたちの注意を間違った場所に向けようとする……。純子は、はっとした。思考を言葉にして整理することで、ようやく、錯綜《さくそう》した事件の霧が晴れてきたような気がする。

「そうか。さっきの質問に戻っていい? もし犯人が裏窓を開け、偽の逃走経路を作ったとしたら、理由は一つしか考えられないわ。それはつまり、真の逃走経路を隠すためよ」

「真の逃走経路を隠す？　何のためにですか？」

おそらくは正鵠《せいこく》を射ているはずなのに、榎本はポーカーフェイスを崩さなかった。

「それは、真の逃走経路が、そのまま、真犯人を名指しするから。つまり、裏窓から逃げたのでなければ、残されているのは、正面玄関だけでしょう？　だとすれば、犯人はただ一人、正面玄関から堂々と出て行った人物しかいないわ」

榎本は、小首をかしげる。

「遠藤晴彦のことですか？　でも、遠藤には、アリバイがありますよ。彼が西野家を訪れたのは、リンゴ園で花摘みをしていた辻登美子に、確認されてるじゃないですか？」

「ええ。だけど、彼女が目撃してるのは、玄関の外に立っている遠藤が、戸を開けて中に入ったという部分だけでしょう？」

榎本は、首を捻《ひね》った。

「その前、遠藤が西野家まで歩いていく途中でも、当然、彼女の視界に入っていただろうと思いますが」

「ええ。でも、辻登美子は、実際に、そう供述してたかしら？　確認してみないとわからないけど、もしかすると、彼女が遠藤の姿に気づいたとき、彼は、すでに玄関の前にいたのかもしれない。その場合でも、遠藤が、突然玄関前に現れたと思うかしら？　おそらく、彼女は、遠藤が歩いてくるところが目に入らなかったのはおかしいから、花摘みの作業で視線を切っている間に、やってきたんだと思い込むんじゃない？」

「つまり、こういうことですか？　辻登美子が遠藤を目撃したのは……」

「ええ。犯行後、彼が逃げようとしていたときのことだったとしたら？」

小雨が降ってきたので、榎本はワイパーを動かす。メトロノームのように単調な音が、車内に響き始めた。

「こういうシナリオが、成り立つと思うの。経済的に困っていた遠藤は、金のインゴットを盗もうと思い、西野家の留守に侵入した。ところが、思いがけず早く帰ってきた愛実さんに見られて揉《も》み合いになり、誤って殺してしまった。彼の力なら、軽く突き飛ばしただけでもそうなる危険性はあるでしょう？　そして玄関から逃げようとしたとき、折悪しく西野さんが帰宅した。遠藤は、どこかの部屋に隠れて、じっと息を潜めていた。そして、西野さんが愛実さんの遺体の前で茫然《ぼうぜん》としているときに、たった今訪れたふりをして現れ、駐在所へ連絡すると言って玄関を出た。そのとき、リンゴ園で辻登美子さんが花摘みをしているのに気づいたが、たまたまその瞬間、彼女はこちらを見ていなかった」

一気呵成《いっきかせい》にここまで喋ってから、純子は息を継いだ。

「遠藤は、ここでもとっさに、たった今訪ねてきたように装い、もう一度、玄関から中へ入った。そして、頃合いを見て出てくると、駐在所まで走った。辻さんには、遠藤を目撃した時刻はわかっても、それが、遠藤が中で西野さんに会う前か後かまでは、わからないでしょう？」

純子の頭の中で、次々とパズルのピースが嵌《は》まり出した。

「そうだ！　遠藤なら、たとえ服の下に30kgの金のインゴットを隠していても、何食わぬ顔で行動することができるわ。重量にさえ耐えられれば、袋か何かに入れて衣服の下に隠すことも可能だって、榎本さんが言ってたとおりだったのよ！」

完璧《かんぺき》な推理だと思ったのに、なぜか、榎本は、あまり感心しているようには見えない。

「だとすると、まず、遠藤は、どうやって留守宅に侵入したんですか？」

「それは……」

どうやって脱出したかで頭がいっぱいだったため、侵入方法のことは忘れていた。

「西野愛実が帰宅したのは、早朝だったでしょう？　そのとき、遠藤が訪ねてきたので、招き入れてしまったのかも。その後、愛実は、部活のためにいったん家を出たが、遠藤は、何か理由を付けて家に残った。そして、部活を終えて戻ってきた彼女に、不審な行動を咎《とが》められて、揉み合いになったんじゃ……」

「では、そうだったとしましょう。遠藤は、いつ、偽装工作のために北側の窓を開けたんですか？」

「それはもちろん、西野さんが帰ってくる前だけど」

「遠藤が、もともと玄関から逃げるつもりだったのなら、わざわざ、そんな偽装をして、犯人が裏窓から逃走したと見せかける必要はなかったんじゃないでしょうか？」

「それは……遠藤が逃げようとしたとき、ちょうど西野さんが帰ってきたんで、玄関からは逃げられなくなったのよ。それで、とっさに、犯人がそこから逃げたと思わせるために裏窓を開けると、自分は、家の中に隠れた」

「なぜ、そのまま、開けた窓から逃げなかったんですか？」

「遠藤は、肥満している上に、30kgもの金のインゴットを抱えていたから、走る速度に自信がなかったんじゃないかしら？　逃げる途中で、西野さんに目撃されたら、それまでだから」

「だとすると、遠藤は、30kgのインゴットを抱えたまま、駐在所まで走ったことになりますけどね……。まあ、それはいいでしょう。辻登美子の証言によると、西野愛実が帰宅したのは午前十一時十五分頃で、西野真之の帰宅は午後一時です。遠藤が誤って西野愛実を殺してしまったとしたら、おそらく彼女が帰宅した直後のことでしょう。彼は、なぜ、そんなに長い間、現場にぐずぐずしていたんでしょうか？　誰しも、あまり殺人の現場に長居をしたくはないのが、人情だと思うんですが」

「……その時点では、まだ、金のインゴットを見つけてなかったからかも」

「死体を放置して、家探しを続行したんですか？　素人にしては、すごい度胸だと思いますね。そして、遠藤が金のインゴットを発見した直後に、西野真之が帰ってきたというのも、偶然に過ぎるという気がしますが」

　榎本は、ダッシュボードからフリスクを出して、三錠ほどを口の中に放り込んだ。

「それに、もっと不自然なことがあります。西野真之の帰宅が午後一時で、遠藤が訪れたことになっているのは、午後二時過ぎですよ。遠藤はどうして、家の中で息を潜めながら、そんなに長く待つ必要があったんですか？　ぐずぐずしている間に、西野真之に見つかってしまえば、それまでじゃないですか？」

「それは……」

純子は、答えに詰まる。

「いや、やはり、そのシナリオはありえないですね。あの玄関の引き戸の音を、覚えてますか？」

「ええ。建て付けが悪くて、かなり騒々しい音だったわ」

「もし、遠藤が西野の前に現れたとき、その直前に引き戸の音が聞こえなければ、西野は変に思ったはずです。だからといって、音を立てるためだけに、玄関に行って引き戸を開け閉めすれば、リンゴ園から見ている辻登美子が、何をやってるのかと不思議に思ったことでしょう」

「でも、西野真之は、愛実ちゃんが亡くなったショックで、茫然としてたのよ？　そんな、引き戸の音なんか、してもしなくても気がつかないんじゃない？」

「子供を殺された直後なら、かえって感覚は鋭敏になっていても、おかしくないと思いますよ。ひょっとすると、殺人者は、まだ近くにいるかもしれないんですから」

「……そんなものかしら？」

「それに、音が問題になるのは、むしろ、その後なんです。聞こえるはずの音が聞こえなくても、気づかない可能性はありますが、聞こえないはずの音が聞こえてきたときには、話は違うと思いますよ」

「どういうことですか？」

「遠藤は、玄関を開けて家に入り、奥座敷にいた西野に声をかけ、会話を交わしています。たとえ、西野が茫然自失の状態だったとしても、その時点で、多少は注意力を取り戻したはずです」

榎本の視線は、雨を透かして、犯行のあった日の西野家に注がれているようだった。

「遠藤は、それから、駐在所に急を告げるため、玄関を出ています。青砥先生の説では、辻登美子は、このときの遠藤の姿を見て、たった今やってきたものと誤認したということですね？　だとすると、遠藤は、辻登美子に見られていることに気づき、さらに、彼女にそう誤解されたことを察して、もう一度玄関の引き戸を開けて、中に入り、しばらく時間をおいてから、もう一度、引き戸を開けて、出てこなくてはなりません。いくら何でも、そんなに何度も、騒々しく引き戸を開け閉めする音が聞こえてきたら、西野が不審に思わないはずがありません」

ぐうの音も出ない反駁《はんばく》というしかない。

「要は、遠藤が玄関を出入りする際は、外には『目』が、内には『耳』があったんです。両方を同時に誤魔化すのは、至難の業でしょう。さらに、逃走した後では、『鼻』が問題になります。犯人が玄関から出たのなら、カスパーが、犯人の臭跡を追えなかったという事実に説明がつきません」

ジムニーは、小雨の中、アーチ形の橋の上にさしかかった。上田《うえだ》ローマン橋。ようやく上田市までやって来たらしい。

「わかったわ。どうやら、遠藤犯人説は、成立しなかったみたいね。でも、その前に言ったことは、あながち見当外れでもなかったでしょう？」

「何でしたっけ？」

「犯人が、裏窓を開けた理由です。偽の逃走経路を作った理由は、やはり、真の逃走経路を隠すためとしか考えられない」

「まだ、他に、逃走経路が考えられますか？」

「ええ。これは、日本家屋が密室には向かない根拠の一つかもしれないんだけど、あまりにも説得力のある『屋根から跳躍』説が出てきたせいで、調査し損なってしまいました」

できるだけ、皮肉に聞こえるよう気を配る。

「いや、見当もつきませんね」

「たぶん、どの部屋からでも可能なんだろうと思うけど、畳を上げて、縁の下に潜ればいいんです。これはきっと、榎本さんの方が本職ですよね？」

「私は、忍者じゃありませんからね」

榎本は、当惑したように言う。

「でも、可能なことは可能でしょう？」

「そうですね。……畳を上げると下には荒床《あらゆか》があります。ふつうは杉や松材の板なんですが、根太《ねだ》に釘《くぎ》で打ち付けてあるはずです」

「つまり、釘を抜いて板を外せば、縁の下に出られるということね？」

潜ってから、畳と板を元通りに戻しておくことも、さほど難しくはないはずだ。

「そうなりますね。……しかし、縁の下に出ても、それからどうするんですか？　家の南側と東西は、リンゴ園からの視界に入るので、出ることはできませんよ。北側なら、窓から出るときと同様、足跡を残してしまいますし」

「例外になる人物が、一人いると思うんです。現場に、くっきりとした足跡を残した」

榎本は、ぽかんと口を開けた。

「まさか、斎田巡査のことを言ってるんですか？」

「ええ。北側の泥の上には、斎田巡査の足跡だけが残っていました。窓から飛び移るのは無理な距離だったので、つい関係ないと思ってしまったけど、縁の下からだったら、話は違うでしょう？　そのときに着ていた服は、埃《ほこり》まみれ泥だらけになるかもしれないけど、駐在所に戻ってから、着替える時間はあったはずだし」

再び、純子の頭の中で、多くのピースが嵌《は》まり始め、ジグソーパズルの絵を形作っていく。

「そうだ。もし警察官が相手なら、愛実さんも無警戒に扉を開けたはずだわ。それに……どうして、もっと早く気がつかなかったんだろう！　もし斎田巡査が犯人だったとしたら、カスパーがとまどったのも、当然だわ。犯人の臭跡と、それを追うよう命じている人間の臭いが、同じなんだから。いや、あのライター自体、犯人の遺留品というのは嘘ということになるから、まったく別人の臭いが付けてあったのかも」

今度こそはと期待して、榎本の顔を見やる。

「……素晴らしい。いや、本当に、よく考えたと思います」

思わず、笑みがこぼれそうになった。

「でも、やはり不正解ですね」

「ええ？　どうして？」

純子は、悲鳴のような声を漏らしてしまった。

「私は、巡査の足跡を実見しています。巡査の足跡が一組と、それに、犬の足跡が一組ありました。時間がたっていたので、かなり薄くなっていましたが、巡査の足跡は、あきらかに犬の足跡の上に付いていました。また、足跡の起点は、家の北側ではなく、西側でした」

「それは……後から別の足跡を加えて、西側からスタートしたように見せかけたんじゃない？　犬の足跡だけ、あらかじめ付けておくことだって可能だろうし」

「無理です。足跡の細工は非常に難しいんです。必ず、警察に見破られますよ。それに、縁の下を這《は》いずったとしたら、その部分に、はっきりした痕跡《こんせき》を残してしまうでしょうし。それから、これも繰り返しになりますが、斎田巡査が犯人だったとしても、やはり、ふつうに北側から逃げて、自分の足跡を踏み消したと思いますよ。密室にする意味などないんだし、犯人の逃走路とおぼしき北側にあえて自分の足跡を残して、それに注意を向けさせるなどという馬鹿な真似をするとは思えません」

「だったら、いったい、誰がやったっていうの……？」

純子は、絶句した。ジムニーのボディを叩《たた》く音は少し低くなったが、雨は依然として降り続いている。

「犯人の脱出方法については、さんざん議論しましたから、もう一度、侵入方法について考えてみましょう。青砥先生が見つけたマメコバチの死骸《しがい》のことを思い出してください。あれが、辻農園の脚立にへばりついて西野家まで運ばれてきたのは、間違いないでしょう」

榎本は、犯罪学の講師のような口調で言う。

「犯行日の前の晩、何者かが物置から脚立を拝借して、西野家への侵入に使ったことも、疑う余地はないと思います」

つまり、犯人は、そこに脚立があることを熟知していた人物ということになる。

「でも、村の人間なら、そのくらいのことを知ってる人は大勢いたんじゃない？」

「ですが、その先になると、人数はずっと絞られます。二階南側の窓のうち、一つだけ、ネジ締まり錠が馬鹿になっていることを知っていた人物は。そんな細かいことまで知っていたとすれば、家族としか考えられません」

やっぱり、そこへ行くのか。

「ねえ、犯人は、どうして、そこまで窓を壊さないことにこだわったのかしら？」

ふと、疑問が生まれたので、訊《き》いてみた。

「たぶん、侵入者の存在を、西野家の人々に気づかれないようにして、金塊がなくなった時期を曖昧《あいまい》にするためでしょう。しかし、どうしてもやむを得ない場合は、ガラスを割る心づもりはしていたようですね」

「なぜ、そんなことがわかるの？」

「犯人の遺留品の、ライターです。実物は見ていませんが、ゼロ・ハリバートンということでしたから、もしかすると、ジェットライターじゃないかと思います。騒音の少ない田舎では、特に夜間には、かなり遠くまで音が聞こえるものです。音を立てずにガラスを割るには、焼き破りが一番なんですよ」

やっぱり、こいつは、本物の泥棒だ。

「そして、ライターには、西野猛の指紋が付いていた。だったら、侵入者は、やっぱり、西野猛だったたっていうわけ？」

「そうです。その点について疑問を持ったことはありません。根拠は、もう一つあります。西野家のガレージに、４００ccのオフロードバイクが置いてありましたが、どう見ても、西野真之の愛車とは思えませんでした」

「どうして、そう言えるんですか？　最近は、中高年のライダーも多いんでしょう？」

「根拠は、いくつかあります。まず、同じガレージに置いてあった西野真之のワゴン車は、背の高いオフロードバイクは積載できない車種です。バイク好きなら、あのワゴン車は、選ばないでしょう。それから、バイクにはデスメタルバンドのステッカーが貼ってありましたが、ワゴン車にあったCDは、すべてクラシック、それもオペラが中心でした」

たしかに、その両方を同一人物が聴いているケースは、少ないかもしれないが。

「じゃあ、それが西野猛のものだったとしても、彼はバイクを置いたまま家出したんじゃない？ もしくは、バイクをもう一台持っていたとか」

「だとすると、あのバイクは、長期間放置されていたはずです。ところが、ガソリンタンクを見ると、中途半端な量のガソリンが残っていました。長い間乗らない場合は、空っぽにするか、反対に満タンにするのが常識です。それに、キャブレターの中にもガソリンが残っていましたし、バッテリーは取り外されておらず、そのままでした」

「家出が急だったんで、そこまで手が回らなかったとか？」

「にもかかわらず、バッテリーは放電しておらず、ちゃんとエンジンがかかりました」

純子には、バイクのバッテリーがどのくらいの期間で放電するのか見当もつかなかったが、四年というのは、たぶん、充分な長さなのだろう。

「バイクのタイヤには泥が付着していました。舗装道路だけ走っていれば、あんなに泥まみれになりませんから、おそらく地元民しか知らない林道を通ったんでしょうね。そして、決定的だったのは、タイヤに付いた泥の中に新鮮な青草が交じっていたことです。つまり、あのバイクは、つい最近、走行したばかりなんです」

純子は、しばし瞑目《めいもく》した。

「……だけど、西野猛が犯人っていうんじゃ、話が、また元に戻ってるわよ」

「今度は、まさか、屋根から跳んだとは言いませんよ」

「そうじゃないのよ。どんな方法を使ったにせよ、西野猛には密室を作る理由はないって、ついさっき、あなたが言ったばっかりでしょう？」

「そうです。ですから、誰も、意図して密室を作ったわけではないんです」

「じゃあ、偶然、密室ができたって言うの？　東中野の事件みたいに」

「ええ。それどころか、どうしても密室にはしたくなかったのに、心ならずも、そうなってしまったんですよ」

「何を言ってるのか、さっぱりわからないわ」

ジムニーは、パーキングエリアの横を通り過ぎた。まもなく、高速を降りることになるはずだ。

「……裏窓が開いていたのが偽装工作だったというのは、その通りだと思います。でも、裏窓を開けて、偽の逃走経路を作った理由が、本当の逃走経路を隠すためだというのは、間違っています」

「いったい、ほかに何が考えられるっていうの？」

榎本が、あまりにも思わせぶりな言葉ばかり連発するために、純子は爆発寸前になっていた。

「裏窓を開けた真の目的は、現場が密室ではなかったかのように偽装するためなんですよ。なぜなら、実際には、あの家は、正真正銘の密室だったからです」

「そんな、馬鹿な……」

純子は、絶句した。正真正銘の密室など存在してたまるものか。それでは、現実の事件ではなく、オカルトになってしまう。

「あれで、第二の事件のように、裏窓が閉まっていたらと想像してみてください。あの家は、完全な密室になります。それが、裏窓を開けることによって、平凡な物盗りによる事件に変わるはずでした。ところが、そこから犯人が逃走したら、窓の外に足跡が付くはずだということまで考えが回らなかったために、当初のもくろみが崩れ、密室であることがクローズアップされてしまったんです」

榎本は嘆息した。

「そして、あの家が本物の密室であったと仮定してみれば、真相は自《おの》ずと明らかになります。なぜ、隠されていた30kgの金塊と洗濯用ネット、ロープがなくなったのか。なぜ、優秀なはずの警察犬が、犯人の臭跡を追えなかったのか」

純子は、背筋がぞくりとするのを覚えた。なぜかはわからない。行く手に蟠《わだかま》る闇の中に、妖気《ようき》のような気配が漂っているのを感じるのだ。

「正直に言って、第一の事件だけだったら、あれ以上追及するつもりはありませんでした。私は法の執行者ではないし、残された家族のことを考えれば、真相を暴くことに意味があるとは思えなかったからです。しかし、第二の事件が起こり、無関係な人間が殺されてしまった今、これ以上見逃すわけにはいきません」

純子は、窓の外の暗い景色を眺めた。いつのまにか、雨はすっかり上がっている。

ジムニーは、一秒ごとに、あの家に近づきつつあった。

7

西野真之は、家の前にワゴン車を止めた。玄関の鍵《かぎ》を開けて、真っ暗な土間に入る。

麻美は明日香を連れて実家に帰っているので、この家には誰もいないはずだったが、何か嫌なものの気配を感じる。それは、玄関の明かりをつけた瞬間、すばやく家の奥へと引っ込んでいった。

西野は、合掌してから家に上がった。

ひんやりとした板の間の感触。閉め切ってあった家の空気は、ひどく黴臭《かびくさ》かった。西野は、左手の廊下の突き当たりには、極力目を向けないようにしながら、家の奥へと進んだ。

奥座敷の襖《ふすま》を開ける。

雨戸の隙間から、かすかな月の光が射し込んでいた。光の戯れは、黒々とそびえ立つ太い柱の上に染みのような模様を形作っていた。まるで血痕《けっこん》のように見えるのは、たぶん、目の錯覚だろう。

だが、じっと目を凝らしているうちに、どこからか、「お父さん」という、か細い声が聞こえてくるような気がしてくる。

何を訴えたいのだろう。あれほど若く、希望に燃えていたのに、突如として、理不尽に命を絶たれた恨みだろうか。それとも……。

西野は、部屋の電気をつけた。とたんに、娘の声は聞こえなくなり、蛍光灯の低い唸《うな》り声に変わる。

奥座敷の仏壇の前に座ると、西野は、鞄《かばん》の中から白木の位牌《いはい》を取りだした。

仏壇には、すでに二つの位牌が並んでいる。ともに漆塗りの本位牌で、一つには、愛実の戒名が金文字で彫られている。もう一方の位牌には、何の文字もなかった。

西野は、そのすぐ横に、白木の位牌を置いた。こちらにも、まだ何も書かれていない。

数珠《じゅず》を握りしめ、一心に般若《はんにゃ》心経を唱える。その手には、見ず知らずの若い女性を撲殺してしまった、おぞましい感触が、まだ残っていた。

悲鳴を上げようとしたので、思わず、手にした金のインゴットで頭を殴りつけると、倒れて動かなくなった。後悔する暇もない出来事だった。

あの忌まわしい日、ここで愛実の遺体を見つけた直後は、猛が愛実を殺害したという事実そのものを抹消するつもりだった。行きずりの強盗に殺されたという方が、まだいい。兄が妹を殺したとなったら、残された家族、特に、明日香の将来はどうなるだろうと思ったからだ。

だが、自分にかけられた馬鹿げた容疑が晴れるのと、まるで引き換えのように、警察は、猛を重要参考人として指名手配した。太田という警部補の言葉の端々からわかったのは、警察は、猛を犯人と確信しているらしいということだった。

だとしたら、いっそのこと、猛が犯人だという結論を出させて、早期に捜査の幕引きを図った方がいい。どのみち、猛が逮捕されなければ、起訴もされず、公判も開かれないのだから。

残された猛の持ち物にはアパートの鍵があり、住所もわかった。だが、警察がアパートの所在を突き止める前にと、余った金のインゴットを一個置きに行ったのは、痛恨の過ちだった。

まさか、合い鍵を持っている人間が存在し、その場で鉢合わせすることになるとは、思ってもみなかったのだ。

申し訳ない。許してください。西野は、心の中でつぶやいた。だが、私は何としても、殺人者になるわけにはいかない。あってはならないのだ。明日香が、殺人者の娘として、世間から後ろ指を指されるようなことは、絶対に……。

西野は立ち上がり、蛍光灯を消すと、奥座敷の襖をそっと閉めた。

何かが、自分を見ているような気がする。天井あたりで、息を潜めながら。

この家には、きっと何かがいるに違いない。何か、不幸を呼ぶものが。

あの日もそうだった。あのときも、終始、何かに見られているような気がして、ならなかったのだ。

＊　＊　＊

奥座敷の襖を開け放って、西野は立ちすくんだ。

「愛《まな》……どうしたっ？」

その先は、悪夢の中のようだった。西野は、ぐったりと畳の上に横たわった娘のそばに駆け寄り、片膝《かたひざ》をついた。夢中で抱き起こして揺さぶったが、反応はない。呼びかけの言葉は、いつしか力なく口の中で消えていった。

最愛の娘は、息をしていなかった。細く華奢《きやしや》な身体は、ゆっくりと冷たくなり始めている。

「愛実？」

「愛実！」

西野は慟哭《どうこく》し、そして、魂が抜けたようにその場に座り込んでしまった。そのとき、ふと、後ろに気配を感じた。

振り返ると、猛が立っていた。

「親父……」

猛は、うなだれていた。

「おまえが……おまえが、やったのか？」

西野は、震える声で詰問した。

「そんなつもりじゃ。こ、こいつが悪いんだ。こいつが、帰ってきて、俺に、泥棒は止めろとか、まともな人間になれとか、うるせえことばっか言いやがるから」

「それで、殺したのか？　おまえは……おまえの妹を？」

西野は、立ち上がり、猛に向かって詰め寄った。

「そんなんじゃねえよ！　ただ、ちょっと殴ったら、立ち上がって突っかかって来やがったんだよ。それで、吹っ飛ばしたら、そのまま柱に頭を打って、死にやがったんだ」

西野は、ただ両の拳《こぶし》を握り締め、その場に茫然《ぼうぜん》と立ちつくすよりなかった。

「事故だよ、事故。すんだことは、もう、しかたがないだろ？　それより、何とかしてくれよ」

「何とか……？」

「俺は、飛ぶからよ。俺がやったっていうんじゃ、あんたらもまずいだろ？　明日香の将来とかもあるだろうし。だから、行きずりの強盗の仕業だってことにしといてくれよ」

「おまえは……！」

「しばらく、どっか海外でも行って、ほとぼりを冷ましてくるよ。その方が、あんたらも都合がいいだろう？　俺が捕まったら、兄が妹を殺したってことが、バレちまうからな。だから、飛行機代と当面の生活費くらいは、何とかしてくれよ」

西野は、しばらくの間、無言だった。猛は、苛立《いらだ》って叫ぶ。

「グズグズしてんじゃねえよ！　知ってんだぜ？　この家のどっかに、金塊を隠してあんだろうが？　どうせ、財産の三分の一は俺が相続するんだから、先にくれたって同じことだよな。いや、愛実はもういないから、二分の一か」

おそらくは、このセリフを聞いた瞬間に、冷酷な決意が固まっていたのだろう。西野は口を開いたが、出てきたのは、自分でも思いがけない言葉だった。

「わかった。金《かね》はやるから、すぐに出て行け」

「おっ。物わかりいいじゃん。そんで、金塊はどこにあるんだよ？」

「こっちだ」

西野は、台所に行き、床下収納庫を開けて、漬け物樽《だる》や瓶などを取り出すと、底にあるコンクリートの板を持ち上げて、猛に場所を譲った。

「そこに入ってる。欲しければ、好きなだけ持って行け」

猛は、床に膝をつき、金のインゴットを取り出した。

「すげえ……これ、いくらあるんだ？　ま、まあ、とりあえずは、持てるだけもらっとこうか」

西野は、猛の背後に回り、自分のネクタイを引き抜いた。端を両手に巻き付けると、ためらうことなく猛の首に二周させ、渾身《こんしん》の力で絞め上げた。

何かが、自分を見て、笑っているような気がした。何か、忌まわしいもの、人の不幸を喜ぶものが。

だが、今は、やり遂げるしかない。やり始めた以上は、最後まで……。

＊　＊　＊

すべてが終わってから、気がついて、北側の窓を一つ開けた。居直り強盗が、そこから逃走したと見せかけるためだった。

それから、西野は、愛実のそばに戻って、へたり込んだ。

何もかも、今日経験したすべてが、悪夢としか思えなかった。この先、どうなるかはわからない。ただ、今だけは、愛実のそばにいてやりたいと思った。

どれくらいの間、そうしていただろうか。

呼び鈴の音が聞こえる。

一度。二度。さらに間をおいて、三度目。

西野は、夢から覚めたように、ゆっくりと顔を上げた。

玄関の引き戸を開ける騒々しい音がする。半ば麻痺《まひ》したような意識の隅で、玄関の鍵《かぎ》を閉めていなかったことを思い出す。

「西やーん？」

間延びした声が響いた。

＊　＊　＊

玄関へ向かう途中、西野は、廊下の突き当たりを透かして見た。厠《かわや》の扉は、二本の竹をX字形に打ち付けてあり、二度と開くことはない。戸袋の陰になっているため、月明かりも届かず、入り口の前は真っ暗だった。

西野は、再び合掌した。恨みの籠《こ》もった、どす黒い瘴気《しょうき》のようなものが漂っているのが感じられる。不浄の場所に沈められ、けっして成仏することのない魂が、今もさまよっているのだ。死体を引きずっていく間に、ライターが廊下に落ちたのに気づかなかったのも、もしかしたら、怨念《おんねん》のなせる業だったのかもしれない。

他に適当な重しが見当たらなかったので、金のインゴットを入るだけ洗濯用のネットに入れ、死体と一緒にロープでぐるぐる巻きに縛って沈めた。

釈放された直後に、便槽は土砂で埋めて、上からモルタルを流し込んで固めてしまった。今さら、金など惜しいとは思わなかった。

だが、当然ながら、この家には二度と住めないし、売ることもできない。半永久的に、今のままの状態にしておく以外にないだろう。

最近、雨の晩になると、閉め切った家のまわりに、たくさんの狐火が蝟集《いしゅう》しているという噂が立つようになった。今では、村の人間も、誰一人この家には寄りつかない。それも、むしろ、好都合といえるかもしれないが。

ふと、西野は顔を上げた。何だろう。夜の静寂《しじま》を破って、何か音が聞こえたような気がしたのだ。

錯覚ではない。

一本道の村道を、こちらに向かって、車が近づいてくる。

黒い牙

1

「……ええと、ちょっと待ってください」

青砥純子《あおとじゅんこ》は、言いようのない疲労感を覚えていた。ここまで意思の疎通が難しい依頼人には、これまで出会ったことがない。

「ペットといえども相続財産の一部ですから、今は相続人の方に所有権があるわけです。ですから……」

「だからですね、そのことは、今、説明したじゃないですか！」

古溝俊樹《ふるみぞとしき》と名乗る中年男は、苛立《いらだ》った声で純子の言葉を遮った。

「ジョディとメグは、桑島《くわしま》が死んだら、僕に譲ってもらう約束があったんですよ！」

「その約束については、何か書面になっていますか？」

「そんなもの、普通、いちいち契約書なんか作らないでしょう？　裁判に備えて生活してるわけじゃないんだから。それに、口約束だって立派な約束でしょう？」

「では、どなたか、そういう約束があったことを証言してくれる方は、いますか？」

指紋で曇ったレンズの奥で、古溝の細い目が不可解な光を帯びる。

「証言?……ええと、それから、僕が言いたいのは、ニコールのことです。元々、僕が飼ってたんですよ。桑島が貸してほしいっていうから、ほんの一時期、貸してただけなんです。だから、返してほしいんですよ。当然の要求じゃないですか」

純子は、溜《た》め息をついた。古溝の言っていることは、さっぱり要領を得ない。その最大の問題点は、古溝がこちらの質問にまともに答えず、自分が言いたいことだけを言うことにあった。

「わかりました。そのため、未《いま》だに、詳しい事情はおろか、ペットの種類すらわからない。

「わかりました。桑島さんのペットのうち二匹については、遺贈される約束があったと。それから、一匹は、もともと古溝さんの持ち物であったということですね? それでは、その三匹の引き渡しを求め……」

「そうじゃない! 今まで何を聞いてたんですか? 僕は、桑島が残した子たち全部を、こっちに引き渡してもらいたいんです!」

「それは、ちょっと無茶ですね。所有権は、あくまでも……」

「所有権、所有権って、どうしてそうなんですか? あなたたちは、どうして、そんなに、冷たい、死んだものに対するような言い方しかできないんですか? あの子たちはですね、みんな生きてるんですよ! あなたや僕と、何も変わらないんだ!」

古溝は、激昂《げっこう》したように叫んだが、その声は迫力に欠け、最後は情けなく裏返る。顔の皺《しわ》や、薄くなった生え際からすると、どう見ても四十代の半ばにはなっているだろうが、子供っぽい喋《しゃべ》り方といい、激しやすい点といい、社会性の未熟さを露呈していた。これで東京都下の市役所の職員だというのだから、よく日常業務を遂行できるものだと思う。

背が低く、痩《や》せて貧弱な体軀《たいく》だったが、目つきには、偏執的な光がある。自分の要求が容《い》れられない場合、いつまでも執拗《しつよう》に同じ主張を繰り返すのではないかという気がした。たぶん、敵に回すと厄介で、味方にすれば鬱陶《うっとう》しいタイプに違いない。

「どうか動物愛護の観点から、生きとし生けるものすべてに対して温かい気持ちを持って、考えてみてほしいんですよ」

「しかし、ペットというのも個人の財産ですから、相続人の方が、著しい虐待を加えているのでもないかぎり……」

「虐待？　ああ、それだったら加えてますよ」

古溝は、しれっとした表情で言った。

「本当ですか？　具体的に、どういう虐待なんですか？」

「桑島が死んでから、今日で十日になりますが、その間、あの女は餌もやらず、まったく何の世話もしていないんですよ」

純子は、眉《まゆ》をひそめた。それが本当だとしたら、争点にできるだろう。『動物の愛護及び管理に関する法律』の第六章、第四十四条では、『愛護動物に対し、みだりに給餌《きゅうじ》又は給水をやめることにより衰弱させる等の虐待を行った者は、50万円以下の罰金に処する』と定めている。

「だとすると、告発の対象になるかもしれませんね」

問題は、そのペットというのが、どんな動物なのかだが。

「いや、それだけだったら、僕も、こんなに焦ってないですよ。あの女は、桑島の遺《のこ》した子たちを、皆殺しにしようと画策してるんです！」

「皆殺し？」

純子は、呆気《あっけ》にとられた。

「……まさか、そんな」

「嘘を言ってどうするんですか？　もちろん本当です。あの女は、そのための薬物だって、もう入手してるんですよ。いいですか？　早く止めないと、あの子たちは、間違いなく、一匹残らず殺されてしまうんですよ！」

純子は、『愛護動物をみだりに殺し、又は傷つけた者は、1年以下の懲役又は100万円以下の罰金に処する』という条文を思い出していた。

「ところで、そのペットのことなんですが、どういう生き物なんでしょうか？」

純子としては、種名を訊《き》いたつもりだったが、古溝は、違う意味に取ったようだった。

尖《とが》った顔つきが、一転、うっとりした表情に変わる。

「本当に、素晴らしい生き物ですよ。地球上で、最も美しくて優雅な。……どう言ったらいいのかな。うちの子たちを見てると、神が作った最も完璧《かんぺき》なフォルムだと思いますね。マニアックかもしれませんが、僕は、あの縫いぐるみみたいな脚先が、大好きなんです。

ねえ……」

鋭い鉤爪《かぎづめ》を出したり引っ込めたりするとこなんか、もう、何とも言えないほど可愛《かわい》いです

　では、ペットというのは、猫のことだったのか。もしかすると、得体の知れない生き物ではないかという危惧《きぐ》があったが、少し安心する。純子自身、昔から犬より猫が好きで、いろんな理由から飼うのは断念したものの、友人の猫と遊ぶのは好きだった。そういえば、高校で親友だった雅美《まさみ》も、ぷよぷよした肉球に触るだけで受験勉強のストレスが癒《いや》されると言っていた。この男と一緒にされては、雅美も不愉快だろうが。

「それから、何といっても、あの優美な毛並みなんです。桑島は、ちょっと毛色が違う、というか、毛のないヤツも飼ってましたが、僕は、あんまり好きじゃないですね。差別する気はないんですが、のっぺりしてて、ちょっとキモいんで」

　あれは、何という種類だったろうか。純子は、ペットショップで見た毛のない猫のことを思い出した。たしか、スフィンクス。カナダ原産で、まったく体毛がないように見えるばかりか、ヒゲすらない品種だ。しわしわの身体は、かなりグロテスクな印象だった。ペットショップの店員の話では、猫アレルギーの人には最適らしいが。

「わたしも、ああいうのは、生理的に受け付けないんですが、アレルギー体質の人には、毛がない方がいいらしいですね」

　純子がそう言うと、古溝は、相好を崩した。

「いやあ、意外と詳しいじゃないですか？　あなたに相談して、よかったかもしれない。

そうなんですよ。あの毛はアレルギーの元凶ですから。僕の家でも、空気清浄機だけは、最新機種を入れてますが、それでも、空中に漂う毛を全部取るのは難しいですね」

「はあ」

「それでも僕は、やっぱ、撫《な》でるときは毛がある方が触感がいいですね……いや、違う。こんな話をしてる場合じゃないんだ！」

古溝は、急に頭を掻《か》き毟《むし》った。

「いいですか？　今日にも、あの子たちは殺されてしまうかもしれないんです！　どんなことをしても、そんな事態だけは食い止めなければならない！　だけど、僕がいくら言ったって、あの女は聞く耳を持たないんですよ。だから、こうやって高い相談料を払って、わざわざお願いに来たんですよ！」

純子は、うなずいた。たとえ依頼人に好感は持てなくても、小さな無辜《むこ》の命を救うことに異存はない。

「わかりました。とにかく、その相続人の方とお話ししてみましょう」

純子は、電話をかけるつもりだったが、古溝は、勢い込んで立ち上がった。

「じゃあ、これからすぐ、来てもらえますか？」

「え？　今からですか？」

「あの子たちの命が危ないんです！　こうしている間も、何があるかわからない。ことは、一分一秒を争うんですよ！」

事務所には、同僚の今村《いまむら》もいるから、二、三時間外出しても、さしつかえないだろう。純子は、頭の中でスケジュールを確認した。明日は、朝から法廷があって予定が詰まっているが、今日は時間が空いている。

うららかで気持ちのよい秋の日だったが、それが人生最悪の一日の始まりになるとは、純子には知るよしもなかった。


桑島家は、都心の閑静な住宅地にあった。もしかすると、敷地は二百坪近くあるかもしれない。職業のことは聞いてなかったが、相当な資産家であることは間違いないだろう。

二十畳ほどある応接室は、贅《ぜい》を尽くしたという感じではなかったが、趣味のよいヨーロピアン調の家具で統一されている。テーブルの上には、丸い刺繍枠《ししゅうわく》に入った布が置かれており、薔薇《ばら》の花の刺繍が九分通り完成していた。

さりげなくソファの上に置かれているクッションも、同じ薔薇の刺繍が施されているのを見ると、すべて手作りらしい。たぶん、テーブルセンターもそうだ。桑島氏の未亡人は、手芸が得意な、家庭的な性格の女性らしかった。

お手伝いさんと入れ替わりに、地味なワンピースを着て現れた桑島美香《みか》は、三十代半ばくらいの、ほっそりした女性だった。夫を亡くして間もないせいか、瞼《まぶた》は腫《は》れぼったかったが、普通の状態なら、おそらく、かなりの美人の部類に入るだろう。

「それで、お話というのは、何でしょうか？」

声はか細く、ソファに腰を下ろしてからも、視線は足下に落としたままだった。手には、ずっとハンカチを握りしめている。こんなときに、彼女を煩わせることに、純子は、かすかな罪悪感を覚えた。

「実は、ご主人が遺されたペットたちのことなんですが」

言いかけると、美香は、きっと顔を上げた。

「あの男ですね？」

「は？」

「あの、古溝っていう異常者です。あの男の差し金で、来られたんですか？」

いくら何でも異常者はないだろうと思ったが、純子は、うなずいた。

「たしかに、古溝さんの依頼で伺いました」

「あの男は、どこにいるんです？」

「車で待っています。同席した場合、冷静な話し合いが難しいんじゃないかということでしたので」

「当然です！」

美香は、吐き捨てるように言った。

「あんな男、どんなことがあっても、絶対、家に入れるつもりはありませんから」

ある程度、拒絶的な反応に遭うことは覚悟していたものの、美香の反発はそれ以上だ。本題に入る前に、原因を探っておいた方がいいかもしれない。

「古溝さんとは、何か、トラブルでもあったんですか？」

「ご存じないんですか？」

美香は、鋭い目つきを純子に向けた。

「あの男は、ストーカーなんですよ！」

純子は、ぎょっとした。古溝の言い分を鵜呑《うの》みにしていたが、あの男の本当の目的が、美香に付きまとうことで、ペットのことは単なる口実だったなら、自分の立場は、微妙なものになる。

「それは、あなたに対してということですか？」

ほっとしたことに、美香は、首を振った。

「違いますよ。あの変態男は、女に関心なんかありませんから」

それでは、古溝は同性愛者で、亡くなった桑島氏に対して、ストーキング行為を続けていたのだろうか。純子がそう訊《たず》ねる前に美香が言葉を続けた。

「……女どころか、人間に興味がないんです。執着してるのは、あの気持ち悪い生き物だけですから」

誤解は解けたが、美香の口振りが気になった。気持ち悪い生き物とは、よほど猫が嫌いでなければ、出てこないセリフだろう。

「では、古溝さんがストーカーだとおっしゃるのは、どういうことなんでしょうか？」

「主人は、ペットの飼育用にアパートの部屋を借りてました。古溝は、このところ、毎日、その前で監視してるんです」

毎日とは、驚きだった。市役所は、病欠扱いにでもなっているのだろうか。

「何のためにですか？」

「わたしが……殺すと思ってるみたいです」

少なくとも、古溝は、動機を偽っていたわけではないようだ。

「もちろん、桑島さんには、そんなおつもりはないんでしょう？」

何気なく訊《き》いたつもりだったが、美香の表情は険しくなった。

「そんなこと、わたしの勝手でしょう？」

純子は、内心、仰天した。もしかすると、古溝が異常で美香はまともだという先入観は、改めなければならないかもしれない。

「法的には、それには、問題があります」

「どうしてですか？」

美香は、いかにも不思議そうに訊く。

「動物愛護法では、動物をみだりに殺したり、傷つけたりすることを禁じているんです」

「あんな醜い生き物でもですか？」

スフィンクスのことを言ってるのだろうかと、純子は訝《いぶか》った。それにしても、醜ければ殺してもかまわないと言わんばかりの態度には、驚かされる。

「醜いか、美しいかは、主観の問題です」

「でも……」

「それでも、あなたが、ご主人の遺《のこ》したペットたちを殺した場合、古溝さんは刑事告訴をすると言っています」

「告訴？」

美香は、呆気《あっけ》にとられたようにつぶやいた。何かを言おうと唇を動かすものの、言葉が出てこない。あきらかに動揺しているようだ。

「いかがでしょう。あなたは、相当な猫嫌いでいらっしゃるようですし、今となっては、処分に困っておられるんじゃないですか？」

美香は、答えない。じっと一点を見つめ、何かに懸命に思いを巡らせているようだ。

「あの。お聞きになってますか？」

「はい？」

夢から醒《さ》めたような目で、純子を見る。

「何でしょうか？」

「ですから、処分に困っておられるのではないかと」

「それは……」

「実は、こちらから、ご提案があります」

純子は、身を乗り出して、誠実さが溢《あふ》れる笑顔を作った。

「ご主人の遺されたペットを、一括して、古溝さんに引き取らせていただけませんか？

それ相応の対価もお支払いすると言っていますし、アパートについては、桑島さんを引き継ぐ形で、古溝さんが借り受けたいと言っています。それから、敷金相当額についても、もちろん補償いたします」

てっきり、渡りに船のような提案だろうと思ったのだが、美香は、厳しい表情を崩さなかった。

「お断りします」

「どうしてですか？」

「……アパートは、転貸しできないはずですし」

「それは、こちらの方で大家さんと交渉しますよ。新たな賃貸契約を結べばいいはずですし。ああ、そうか。もしかしたら、ペットの飼育についてはご存じないんですね？　それで契約を拒まれるようでしたら、大家さんは、古溝さんの自宅に引き取るか、別の場所を用意しますので」

「いいえ。それは、やっぱり……」

いったい、何がネックになっているのだろう。

「あの……殺さなければいいんでしょうか？」

美香が、ぽつりと言う。

「は？」

「殺さなかったら、法律にも触れないんでしょう？」

殺そうと思っていたくらいだから、亡き夫が可愛がっていたペットに、愛着があるとも思えないのだが。

「それだけでは、充分とは言えません。飼い主はペットに対し、きちんと餌を与え、給水を行う義務があるんです」

美香は、沈黙した。

困ったなと、純子は思う。美香も、古溝同様、容易に腹の内を見せようとはしないため、いっこうに落としどころが見えてこないのだ。

とりあえず、攻め口を変えてみる。

「それから、古溝さんは、ペットのうち三匹については、所有権を主張しています。ジョディとメグという二匹については、桑島さんから遺贈を受ける約束があったらしいんです。それから、もう一匹の、ニコールについては、もともと、古溝さんの所有であったということなので」

「じゃあ、その三匹を渡せばいいんですか？」

美香は、疑《うたぐ》り深そうな目で言った。

「そうです。ただ、古溝さんは、それ以外の子たちについても、とても心配してるんです。ですから、とりあえず、無事を確かめた上で、餌を与えたいと言ってるんですが」

「子たち……？」

美香は、露骨に眉《まゆ》をひそめた。

「あなたも、あの男の同類ですか？」

「どういうことですか？」

「いえ、いいです」

美香は、そっぽを向き、唇を歪《ゆが》めて言った。

「わかりました。今から一緒にアパートに行きましょう。どうぞ、お好きに餌でも何でもやってください。三匹とおっしゃるのは、持って行っていただいて結構です。……だけど、これっきりにしてください！」

とりつく島もない態度だった。いったい何が、彼女をここまで頑《かたく》なにさせているのだろうと、純子は不思議に思った。

2

アパートというのは、桑島家から車で五分の場所にあった。こちらは住宅と商業施設の混合地域で、住宅やマンション以外に、スーパーマーケットや事務所、カラオケボックスなどが目につく。

アパートには一台分の駐車スペースしかないとのことなので、美香のメルセデスを先に行かせて、純子は、愛車のアウディA３を手近なパーキングに入れた。

「あれですよ」

車を降りてすぐ、古溝が指し示したのは、ハイツなどと呼ばれる二階建ての建物だった。間取りはキッチン＋ワンルームで、学生や単身者が主な住人なのだという。

灰色の防火サイディングで覆われた建物に近づくにつれて、純子の中で、徐々に、違和感がつのり始めた。

よく考えてみると、いくら妻がひどい猫嫌いとはいえ、猫を飼うのに、わざわざアパートを借りる人間は、あまりいないかもしれない。

「あそこには、全部で何匹くらいいるんですか？」

「まあ、数は、たいしたことないね。それでも、四、五十匹はいるかな」

ありえない。嫌な予感は、急速に膨らんでいく。よくよく思い返してみると、古溝は、一度も『猫』という単語を口にしていないような気がしてきた。美香もまた同様である。だからといって、今さら、あそこにいるのは猫ですかとは訊けなくなってしまっていた。

「古溝さんは、ペットが爪を出したり入れたりするのが好きだって言ってましたよね？」

純子は、慎重に言葉を選んで、訊いてみた。

「うん、そうですね。掌《てのひら》を引っ掻《か》く感じが、何とも言えないっていうか」

やはり、どう聞いても、猫としか思えないのだが。

「まあ、ハンドリングは、あんまり、初心者にはお勧めできないんだけどね」

どういうことだろう。

「でも、僕なんかは、あの黒い爪の感触がね、ぞくぞくするんですよ」

「え？　爪って黒いんですか？」

そうだっただろうか。違うような気がするのだが。

「そうそう。よく観察するとわかるけど、牙《きば》と同じ色してんです」

「爪と……牙が黒い？」

心臓の鼓動が大きくなってきた。もはや、何が何だかわからないが、少なくとも、このことだけは断言できる。

そんな猫はいない。

気持ちを落ち着ける暇もなく、古溝は鉄製の外階段を上り始めた。しかたなく、すぐ後に続く。

桑島氏が借りていたのは、二階の中央の部屋だった。ドアの前には、美香が無表情に佇《たたず》んでいる。

「あんた、なんで、そんなもの持ってきたんですか？」

古溝が、険悪な声を出した。美香が持ってきた黒いキャップ付きのスプレー缶を見咎《みとが》めたらしい。

「わたしの勝手でしょう？」

美香も、負けていない。

「わたしは、夫みたいな死に方だけは、したくないんです」

「夫みたいな死に方……？」

純子は、呆然《ぼうぜん》と繰り返した。

「素人が迂《う》闊《かつ》に手を出さなければ、危険などないんだ。それより、部屋の中でそんなものを噴霧されたら、あの子たちは死んでしまう！」

「襲われないかぎり使いませんし、あなたに文句を言われる筋合いはありません。わたしにだって、自分を守る権利くらいありますから！」

美香は切り口上でそう言うと、革のポーチから鍵《かぎ》を取り出し、憤然と部屋のドアを解錠した。

この扉の内側に潜んでいるのは、いったい、どんなに恐ろしい怪物なのだろう。純子は、すぐさま回れ右をして、その場から逃げ出したいという衝動に駆られた。

「どうぞ」

ドアを開けた美香が、冷たい目で、こちらを振り返った。

「お邪魔しますよ」

勝手知ったるという感じで、古溝は、さっさと部屋に上がっていく。

「どうしたんですか？」

なおも逡巡《しゅんじゅん》している純子を見て、美香は、苛立《いらだ》たしげに言った。

しかたがない。純子は、腹を決めて、電話帳くらいの幅しかない三和土《たたき》に入り、「失礼します」と言いながらヒールを脱いだ。

スリッパがないので、しかたなく、素足で上がる。リノリウムの床が、ストッキングの足裏にべたべたと貼り付くため、気持ちが悪かった。入ってすぐが、四畳半のキッチン・スペースで、左の壁際には20ℓほどの冷蔵庫が置かれ、その横には、トイレのドアと、ユニットバスらしい折り戸がある。キッチン中央のテーブルには、クロスもかかっていないため、まるで作業机のような感じだった。

　流しの横には小さなガスコンロがあった。奇妙なのは、流し台などにある隙間がすべて、アルミのキッチンテープによって、目張りをするように塞《ふさ》がれていたことである。

　流し台の手前には、足踏み式のダストボックスが置かれていた。満杯で蓋《ふた》が閉まらない状態になっており、ビール缶などに交じって、金属製のボトルが一個頭を覗《のぞ》かせていた。緑の模様に何となく見覚えがあると思ったが、CO_2という文字で思い出した。水草用の二酸化炭素のボンベだ。ずっと以前、熱帯魚を飼っていたときに使ったことがある。

　閉め切っていた部屋の中は薄暗く、空気が籠《こ》もっていた。爽《さわ》やかな外気とは対照的に、蒸し暑い感じだった。しかも、変に目がしばしばし、喉《のど》がいがらっぽい感じがする。

　古溝は、奥の部屋に入った。普通は換気をしたくなるだろうに、窓を開けるどころか、ブラインドさえ上げようとせず、天井の照明をつける。

　奥の部屋は、予想より大きく、八畳くらいあった。だが、四隅に空気清浄機が置かれ、天井まであるワイヤーシェルフが、図書館の書棚のような配置で六台も置いてあるため、かろうじて人が立って歩ける程度のスペースしか残されていない。ワイヤーシェルフは、エレクターというブランドのもので、四本のステンレスのポールにスチールワイヤーの棚を嵌《は》めただけのシンプルな構造だった。それぞれの棚には大型の水槽が整然と並んでいる。その数は、合計すると五十以上あるだろうか。

水槽の中には流木などが置かれており、ぱっと見では、どんな生き物が入れられているのかまでは判別できない。猫のようにふさふさした毛並みと、猫のように出し入れできる爪を持った動物。だが、その爪と牙は、黒いのだという……。

そんなの絶対猫じゃない。猫とは似ても似つかない。

純子は、極端な現実逃避に走るときの癖である、七五調でつぶやいた。

「ニコール！」

水槽を順番に覗き込んでいた古溝の声が、部屋の中に響き渡る。

「無事だったんだね。よかった！」

そもそも、猫を水槽に入れて飼う人間はいない。しかし、どうか、ハムスターか何かでありますように。純子は、必死に神に祈った。

「ちょっと、気をつけて！」

後ろから、美香の鋭い声が飛ぶ。見ると、古溝は、今まさに、水槽の一つに右手を差し込もうとしているところだった。

「ご心配いただいて恐縮ですがね、ニコールが僕を咬《か》むなんて、ありえない」

古溝は、ねっとりした口調で言う。

「誰も、あなたの心配なんかしてません。ここで死なれたりしたら、こっちが困るんです」

美香の辛辣《しんらつ》な口調は、まぎれもなく本音を語っているようだった。

古溝は、気味の悪い笑みを浮かべながら、水槽から右手を引き出す。

「ふん。ニコールはいい子だから、僕を咬んだりしないよねー？　先生。どうも初めまして。この子がニコールでーす」

純子に向かって差し出された古溝の掌には、縫いぐるみのようなものが載っていた。

純子は、ちらりと見ると、身震いして目を背けた。見たくない。忘れろ。ありえない。ありえない。絶対に、ありえない……。

美香は、さっきのスプレーのキャップを外して、エイリアンの巣に踏み込むリプリーのように構えている。

「そのスプレーは？」

「さっき言ったでしょう？　身を守るためには、必要なんです」

「いったい、何なんですか？」

美香は、純子にスプレーを渡そうとはせず、缶を回して表側を見せた。

純子がこの世で最も嫌悪する生き物の絵が、目に飛び込んでくる。その上には、『クモに巣を張らせないジェットスプレー』『スーパークモジェット』などという文字も見えた。

どこからどう見ても、蜘蛛《くも》専用の殺虫剤だった。

やはり、そうなのか。今のあれが、あの化け物が、本当に蜘蛛なのだ。

少し前に長野へ行ったとき、厠《かわや》で巨大な蜘蛛を見て、頭が真っ白になるくらいの恐怖を覚えたことがある。だが、これは、とうてい、その比ではない……。

純子は、目をつぶって、古溝の方に向き直った。心臓が、衝撃に備えて、狂ったようなリズムを刻んでいる。過呼吸に陥らずにすんだのは、ひとえに、蜘蛛の巣窟《そうくつ》の臭気が充満している部屋の空気を肺に吸い込みたくないという思いからだった。

目を開けると、古溝の掌《てのひら》の上にある物体Xが、もぞりと動いた。

禍々《まがまが》しい形状もさることながら、恐るべきは、そのとてつもないサイズだった。頭と胴体だけで、パソコンのマウスほどもある。しかも、ずらりと並んだ八本の肢《あし》は、警戒標識を思わせるようなオレンジと黒の縞模様《しまもよう》で、全体がベルベットのような光沢のある剛毛で覆われていた。

「ニコールは、メキシカンレッドニー、通称スミシーという種類なんです。どうです？　なかなか別嬪《べっぴん》でしょう？　大きさは最大級だし、ここまでオレンジ色が鮮やかな個体は、めったにいませんよ」

「そうですね」

純子は、自分の声が、落ち着いた調子で古溝に答えるのを、他人事《ひとごと》のように聞いた。

「一つだけ、お訊《き》きしていいですか？」

「いいすよ。何でしょう？」

「さっき、爪を引っ込められるって言ってましたけど？」

「もちろん、本当ですよ。タランチュラ……というのは、主にオオツチグモの一族を指す言葉だけど、普通の蜘蛛とは違い、蹠《あしうら》まで細かい毛が密生してて、猫のように爪を引っ込めたり出したりできるという特徴があるんです。黒い爪は二本しかありませんが、肢の先だけクローズアップ撮影すると、本当に猫そっくりですよ」

「なるほど」

表面上は、冷静な受け答えをしていたが、実際は、あまりの恐怖に人格が分裂してしまい、新たに生まれた蜘蛛を怖れない人格が受け答えを担当しているかのようだった。

「よかったら、ニコールをハンドリングしてみますか？　普通、初心者にはお勧めできないんですが、この子は、特別おとなしいから、たぶん、だいじょうぶだと思いますよ」

古溝は、純子の一見落ち着いた様子から、蜘蛛愛好家のシンパと誤解したようだった。

「いいえ。遠慮しておきます」

にこやかな顔で謝絶しながら、どういう口実でこの部屋を出ればいいかと、純子の頭はフル回転していた。

「何でもいいから、さっさとすませてもらえませんか？」

「わたしも、こんなところで、いつまでもお付き合いはしてられないんです」

美香が、険のある声で言った。

「だったら、家に帰ってればいいでしょう。終わったら、鍵を返しに行きますから」

古溝も、むっとした様子で返答する。

ものですから」

「いいえ、そういうわけにはいきません。……この部屋にあるものは、すべて夫の残した

まるで、自分がいなくなったとたんに、古溝が盗みをはたらくと言わんばかりだった。

しかし、美香も、純子と同様、蜘蛛でいっぱいの部屋はいかにも居心地が悪そうなのに、頑として出て行こうとしないのはなぜだろう。

そのとき、はっと気がつく。もしかすると美香は、動物愛護法違反で訴えるかもしれないという古溝の脅しを、気にしているのだろうか。

『動物の愛護及び管理に関する法律』が規定する『愛護動物』とは、たしか『牛、馬、豚、めん羊、やぎ、犬、ねこ、いえうさぎ、鶏、いえばと及びあひる』か、それ以外の『人が占有している動物で哺乳類《ほにゅう》、鳥類又は爬虫類《はちゅう》に属するもの』だった。どう拡大解釈しても、そこにタランチュラが含まれないことは、あきらかである。

つまり、自分は、桑島美香に対して虚偽の説明を行ったことになるのだ。もし、それがバレたら、所属弁護士会に懲戒処分を申請されてもしかたがない。純子は、懲戒委員会でペットは猫だとばかり思っていたという間抜けな弁明をしている自分を想像した。

まずい。そんな事態だけは、何としても避けなければならない。

純子は、すばやく現状を分析した。今、自分は二重の窮地に陥っている。一秒でも早くこの部屋から出たいのはやまやまだが、今、自分が不在になれば、美香と古溝はたちまち口論を始めるだろう。成り行きしだいでは、訴える訴えないという話に発展するかもしれ

ない。

だめだ。今は、歯を食いしばっても、このおぞましい部屋に留《とど》まって、蜘蛛問題を円満な解決へと導かなければ。

見ると、古溝は、『ニコール』をいったん水槽に戻し、次の水槽に手を突っ込もうとしていた。

「あの、本当に、だいじょうぶなんですか？」

思わず、声をかける。

「平気ですよ。扱いには慣れてますから」

「でも、万一、咬まれたら？　だって、それ、毒があるんでしょう？」

「だいじょうぶです。たしかに、タランチュラは、すべてが有毒ですが、人を殺すほどの猛毒を持った種類はいません」

それを聞いて、少しほっとする。と同時に、別の疑問が湧き上がってきた。

「でも、先ほど、桑島美香さんは、ご主人みたいな死に方は……とかおっしゃっていたようですが？」

純子が、美香を気にして小声で訊《たず》ねると、古溝は、一転して深刻な表情になった。

「ああ。桑島は、たしかに、毒蜘蛛に咬まれて亡くなったんですよ」

「それは、タランチュラとは違うんですか？」

「彼は、以前に一度、タランチュラに咬まれたことはありました。そのときは、救急車で病院へ行ったんですが、消炎剤と鎮痛剤を投与され、安静にしているだけで恢復《かいふく》しました。だけど、今回は、咬《か》まれた蜘蛛が悪かった」

少し離れた場所にある水槽を、手で指し示す。

「クロドクシボグモ。世界で最悪の毒蜘蛛ですよ」

「黒……毒……死亡……グモ？」

何だか、名前からして、不吉なことこの上ない。

「僕のような正統派のタランチュラ愛好家からすると、これほど危険な蜘蛛を飼うのは、絶対にやめた方がいいと思うんですがね。桑島には、桑島のポリシーがあったみたいで。タランチュラ以外の大型の蜘蛛類も併せて飼うことで、身体のつくりや習性の違いなどを比較したかったらしいんですよ。ここへ来る前に言った、身体に毛のないトタテグモとか、このクロドクシボグモなんかをね」

純子は、おそるおそる、古溝が示した水槽に近づいた。

アクリル製らしい大型水槽の中にいたのは、これも、きわめて巨大な蜘蛛だった。体長は8cmはあるだろう。先ほど見たメキシカンレッドニーというタランチュラと比較すると、一回り小さくてスリムだが、肢が長くて敏捷《びんしょう》そうだ。大顎《おおあご》は赤く腹部は茶色、あとは全体に灰色がかった地味な体色だった。外見だけで言えば、さっきのタランチュラの方がはるかに毒々しくて危険そうである。

「ブラジル原産で、バナナなどの船荷に交じっていることが多いため、通称はバナナ・スパイダー。毒性は蜘蛛《くも》類中最強で、人間の半数致死量は、推定で、わずか0・1㎎です。だが、この蜘蛛の恐ろしさはそれだけじゃない。タランチュラに匹敵するサイズなので、一匹の持つ毒液は平均で8㎎もある。単純計算で八十人を殺せる量です。しかも、性質はきわめて攻撃的で、動きは俊敏。毒牙《どくが》は13㎜もあり、一度に大量の毒液を注入できる。いったん咬まれてしまうと、血清がなければ、まず致命的だろうね」

聞いているだけで、気分が悪くなってきた。いったい何の酔狂で、そんな恐ろしい生き物を飼わなければならないのだろう。

「こういう危険な蜘蛛の飼育には、何らかの許可を得ているんですか？」

日頃の弁護士業務には、ほとんど関係のない分野なので、関係法令もまったく思い浮かばない。

「許可？ そんなもん、別に必要ないんですよ」

古溝は、せせら笑うように言う。

「輸入する場合、ネックになるのはワシントン条約だけだけど、あれは、基本的に絶滅のおそれのある動植物の取引を規制するもんだから、ローズグレイ他のタランチュラは含まれてるけど、シボグモ類は、すべて、対象外でね。あとは、輸出国側の規制くらいかなあ」

「じゃあ、まるっきり、フリーパスなんですか？」

「別に、蜘蛛だけの話じゃありませんよ。今、普通にペットショップで売られている虫の中には、デスストーカーみたいな、とんでもない猛毒を持つサソリもいるからね」

いつも思うことだが、この国の制度は、国民の命や健康への徹底的な無関心から成り立っている。寒心に堪えない事態ではあるが、このとき、純子の中では別の疑問が兆していた。

「でも、桑島さんは、その、クロ……ドクグモの危険性についてはよくご存じだったんですよね？」

「そりゃあ、もちろん、クロドクシボグモについては、大学の先生なんかよりずっと詳しかったはずですよ」

「じゃあ、どうして、咬まれたりしたんですか？」

そのとき、突然、すぐ後ろから美香の声が聞こえて、純子は、飛び上がりそうになった。

「主人は、餌をやろうとしていたんです」

美香は、能面のように無表情だった。

「水槽に手を入れた瞬間、蜘蛛に飛びつかれて指を咬まれたんじゃないかということです。警察は、そう言ってました。……そんなふうに、ピンセットが残っていましたから」

美香は水槽を指し示す。たしかに、一本のピンセットが、流木に寄りかかるようにして、土に突き立っている。

「タランチュラもそうだけど、蜘蛛にやるのは、原則、生き餌《え》なんですよ。ピンセットでコオロギをつまんで、中に入れてやるんです」

古溝が、陰気に補足した。

それにしても、それほど恐ろしい蜘蛛を扱うのに、あまりにも不注意すぎるのではないだろうか。

ピンセットを見つめていた純子の脳裏に、不吉な直感が走った。

もう一度、思考を反芻《はんすう》してみる。浮かんでくるのは、どうにも不可解な映像だった。

ひょっとすると、これは、ただの事故ではなかったのかもしれない。

毒蜘蛛に咬まれるという事故……もし、それが、周到に計画され、偽装されたものだったとしたら。

3

早く出て。純子は、携帯電話に向かってつぶやく。

外廊下は静まりかえっていた。このハイツは、昼間は、あまり人がいないようだ。部屋の中の様子に耳を澄ませてみたが、何の音も聞こえてこない。どうやら、古溝と美香は、今のところ、行儀よく互いを無視しあっているらしい。

早く出てよ。何してるのよ。この泥棒。

純子は、この緊急時に、電話をかける相手を間違えたのではないかと思い始めていた。いつもならすぐに繋《つな》がるのに、今日に限って、どうして。半ば、お出になりませんというアナウンスが流れるのを覚悟したとき、やっと相手の声が聞こえてきた。

『はい、榎本《えのもと》です』

純子は、ほっとして、息せき切って話し出す。

「もしもし。青砥です。緊急に、頼みたいことがあるんですけど」

『何でしょう？』

「今すぐに来てくれませんか？　場所は……」

『すぐには、ちょっと無理です』

「どうして？」

我ながら勝手だとは思うが、落胆と怒りで声が尖《とが》る。

『今、出先で、よそのお宅にいますので』

「緊急なんです。できれば、ちょっと、そちらの方に断って……」

『それは、不可能です』

「なぜ？」

『お留守ですから』

純子は、絶句した。

「他人《ひと》の留守宅で、あなたは、いったい何をしてるんですか？」

『まあ、野暮用で。それより、緊急の用件というのは、いったい何ですか？』

純子は、溜《た》め息をついた。今すぐ、この凶悪犯罪者との通話を切り、もっとまともな人にかけ直そうか。だが、同僚弁護士の今村と話したところで埒《らち》はあかないだろうし、現在の状況では、アドバイザーとして榎本以上の適任者がいるとは思えない。純子は、今日これまでにあったことを、かいつまんで説明した。

「どう思いますか？」

『そうですね。おっしゃるように、疑わしいような気もします。しかし、今の時点では、計画殺人とまでは言えないと思いますが』

「だって、おかしいでしょう？」

純子は、つい榎本を説得するような口調になっていた。

「桑島氏が亡くなった状況を説明されたとき、直感的に、変だなって思ったんです。もう一度水槽を見て、ひっかかってたのはピンセットの形だって気づきました。先端がまっすぐ士に刺さって、横に置かれた流木に寄りかかってたんです」

『その位置は、上部にある蓋《ふた》の真下だったんですか？』

「ええ。まるで、上からそっとピンセットを落としたみたいでしょう？」

『しかし、偶然そういう状態になることも、ありうるんじゃないですか？』

榎本は、なかなか同調しようとしなかった。

『毒蜘蛛に飛びつかれたら、あわてて手を引っ込めるでしょう。手を真上にある開口部から引き抜く際に、邪魔なピンセットを放したら、真下に落ちて地面に突き刺さってもおかしくはないのでは』

「可能性はゼロじゃないけど、普通、そうはならないと思います」

純子には、確信があった。

「とっさに手を引っ込めようとすれば、角度は斜めになるはずでしょう？　ピンセットは、あらぬ方向へ吹っ飛ぶんじゃないでしょうか？　少なくとも、垂直に落ちて土に突き刺さるとは思えないんです」

『うーん。おっしゃることは、わからないでもないですが……』

榎本は、どうも煮え切らない。

「以前、ベテランの刑事さんから、聞いたことがあるんです。犯人が、犯行現場に小細工をして何かを置いたときは、一目見て、すぐにわかるんだそうです。後ろめたさからか、慎重にやろうとする意識がはたらくためなのか、つい、そっと置いてしまうらしいんです。榎本さんも、実際に見ないとわからないかもしれませんが、あのピンセットは、まさに、そういう感じでした」

榎本は、しばらく沈黙した。

『なるほど。青砥先生が、直感でそう感じたとすれば、あるいはそうかもしれませんね。とりあえず、警察にいる知り合いに確認してみます。その間に、部屋の中の様子を観察してみてください。特に、問題の水槽の中にあったものを、リストアップしておいてほしいんですが』

それなら、はっきりと覚えている。

「あの水槽の中にあったのは、毒蜘蛛《どくぐも》と、流木、それにピンセットだけでした」

『本当ですか？』

「ええ。あとは、下に敷き詰められてた土ぐらい」

『ほかに、ゴミのようなものは、ありませんでしたか？』

「ゴミですか？……いいえ。なかったと思いますけど」

『だとすると、たしかに、事故ではなかったという可能性がありますね』

なぜかと訊《き》き返す前に、電話は切れた。

榎本径《けい》は、新宿にある防犯ショップの店長である。純子は、以前、六本木のビルで起きた殺人事件の調査を依頼したことがあった。犯人が、ピッキングのような方法を使ったのではないかと疑ったからだが、最終的に榎本が暴いたのは、思いもよらない密室トリックだった。それ以来、同様の事件に遭遇すると、しばしばアドバイスを求めるようになっている。

とはいえ、この男を全面的に信頼することには、躊躇《ためら》いがあった。最近では、元泥棒が防犯コンサルタントを標榜《ひょうぼう》している例は数多いが、榎本の場合、もしかすると、まだ現役バリバリではないかという疑いが拭《ぬぐ》えないからだ。

もう一度、巨大蜘蛛たちの巣窟《そうくつ》である部屋に入るのは、死ぬ思いだった。

純子は、かなり長い間、廊下でぐずぐずしていた。ようやく思い切ってドアを開けると、数カ所から激しく風を切る音が聞こえてきた。奥の部屋にある四台の大型の空気清浄機が稼働している。どちらかがスイッチを入れたらしい。美香は、陰気な顔をしてキッチンの隅に佇《たたず》んでおり、嫌な目でこちらを一瞥《いちべつ》する。

古溝の姿は、奥の部屋にあった。ワイヤーシェルフの最下段に置かれた大型水槽の前でかがみ込んでいる。純子は、勇を鼓して近づいていった。水槽の上部にある小さな撥ね蓋《トラップ・ドア》を開け、右手を突っ込んでいる。またタランチュラを取り出そうとしているのかと思って逃げ腰になったが、水槽の中にいるのは、コオロギだった。どうやら、古溝は、逃げ回るコオロギをピンセットで捕まえようとしているらしい。

まさか、例の水槽からピンセットを取ったのだろうか。一瞬驚いたが、よく見ると、ピンセット類は、別の棚に置かれたプラスチックのカップにたくさん差さっている。純子の視線に気づき、古溝はこちらを向いた。ピンセットでつまみ上げたコオロギを見せる。

「フタホシコオロギ。ジューシーで栄養満点のタランチュラの餌ですよ。ほったらかしにされてたんで、てっきり全滅してるかと思ったんですが、さいわいにも元気でした」

まるまると太って、ピンセットの先でじたばたともがいているコオロギは、哀れだった。純子は、目をそむけたが、はっとして、もう一度視線を元に戻した。

「今、順番に給餌《きゅうじ》してるところでね。次は、そこのコバルトブルーの番です。光沢のある青い肢《あし》が、何とも言えず美しいでしょう？　見かけによらず、けっこう気が荒い種類なんで、食事してるとこは見物ですよ」

だが、純子が凝視していたのは、コオロギではなかった。

「変わった形のピンセットですね？」

古溝が持っていたピンセットは、先の方が半円形にカーブして、コオロギの身体にフィットするようになっている。

「ああ、これ？　昆虫専用のピンセットだね」

古溝は、特に興味もなさそうに言った。

「別に、ふつうのやつでもいいんだけど、桑島は、道具にまで凝るタイプだったからね。それより、コバルトブルーが餌を食べるところは、必見ですよ」

純子は、コオロギの殺戮《さつりく》シーンを見学するのを断り、何気ない様子で、ピンセットが差さっているカップに近づき、手に取ってみた。

ピンセットは、ふつうのタイプのものと、昆虫専用の、二種類が混在している。桑島氏は、蜘蛛の給餌には後者を用いていたのだろう。だが、毒蜘蛛の水槽に残されていたのは、先が尖っている方のピンセットだった。そうでなければ、土に突き刺さることもなかったはずだ。

もちろん、桑島氏が、絶対に先の尖ったピンセットを使わなかったとは言えない。だが、わざわざ専用のピンセットを用意しているのだから、ふつうなら、そちらを使うはずだ。これでまた、ほんの少し、事件性が濃厚になったかもしれない。純子は、かすかに動悸《どうき》が速くなるのを感じた。

そのとき、携帯電話が着うたを鳴らした。ミュージカル『ジキルとハイド』のナンバー『Murder,Murder!』である。人混みで鳴ったときは、誰も使っていない曲の方が紛らわしくないと思って、パソコンに詳しい友人に頼んでCD音源から作ってもらったものだった。この状況では洒落《しゃれ》にならないなと思いつつ、電話に出る。

「もしもし」

『お待たせしました』

榎本だった。さっき電話してから、十分もたっていない。

『今話しても、だいじょうぶですか？』

「ちょっと待って」

純子は、こちらを見ている美香の視線から逃れるように、再び、部屋の外へ出た。

「何か、わかりました？」

『運良く、すぐに所轄署の知り合いがつかまりました』

なぜ、泥棒が、こんなにも警察に顔が利くのだろう。以前から、謎ではあったが。

『事件の概要は、以下の通りです』

「ちょっと待って」

純子は、あわててメモを出し、要点を書き留めていく。

『死んだのは桑島雄司《ゆうじ》さん、三十八歳です。胡蝶堂《こちょうどう》本舗という和菓子屋の御曹司で、死亡時、専務を務めていました』

胡蝶堂という名前なら、純子も知っていた。もともと老舗《しにせ》の優良企業だったが、たしか数年前に、『胡蝶の夢』という和菓子がスマッシュヒットとなり、その年のグルメ商品の番付も飾ったはずだ。そこの跡取りだというのなら、あの豪邸も不思議ではない。

『十日前の午後十時前、桑島さんは、自宅にタクシーを呼んで、タランチュラの飼育のために借りているアパートへ行ったそうです。その晩は帰らなかったんですが、奥さんは、特に心配はしなかったと言っています』

「なぜ？」

『以前から、そういうことは頻繁にあったらしいんです。翌朝、特に用事がないときは、昼前に自宅に戻って、着替えて出社することも常だったとか。ところが、この日の翌朝、重要な会議があったらしく、会社から自宅に電話が入りました。携帯にも応答がないので、心配になった奥さんが、午前十時過ぎにアパートを訪ねたところ、倒れている桑島さんを発見したということです。すぐさま一一九番通報しましたが、救急隊員が訪れたときには、すでに絶命していました』

「死因は、何だったんですか？」

『司法解剖も行われていますが、毒蜘蛛の咬傷《こうしょう》に起因する、神経毒の作用ないしアナフィラキシー・ショックによる、呼吸麻痺《まひ》とされています』

やはり、毒蜘蛛に咬《か》まれたのが直接の死因であることは、間違いなさそうだ。

「咬まれた場所は、どこですか？」

『右手の中指の腹だったようですね』

何かがおかしいという気がするのだが、理由はわからない。

「それで、警察が事件性なしと判断したのは、どうして？」

『桑島さんが死亡した時刻、他の人物がその部屋に出入りするのは、不可能だったからということです』

「それって、つまり……」

『現場は、完全な密室だったわけです』

ここでまた、そんな言葉を聞くとは思わなかった。

『第一に、奥さんが訪れたとき、部屋は完全に施錠されていました。鍵《かぎ》を持っているのは桑島さんと奥さんの二人だけで、桑島さんの鍵は部屋に残されていました。奥さんの鍵が、第三者に持ち出された可能性もないということです。また、鍵はＩＣチップ付きのもので、不正解錠も、合い鍵を作ることも、ほとんど不可能です』

「でも、だったら、奥さんが犯人だったということも……」

『それが、その線も考えられないんだそうです。まず、午後十時過ぎ、桑島さんが一人で部屋に入るところは、隣の部屋の住人に目撃されています。死亡推定時刻は、その一時間後ですが、病理学者の推定によると、咬まれたのは、おそらく部屋に入った直後だろうということなんです』

「だから事故だというのも、乱暴な話ですね。犯人が、部屋に潜んで、待ち伏せてたっていうことはないんですか？」

『だとすると、犯人はその後部屋から脱出しなければなりませんが、桑島さんが訪れてから翌朝まで、部屋のドアを開けた人間はいないらしいんです。そこのアパートは、昼間は無人に近い状態になるらしいんですが、夜はかなり多くの住人が帰っています。ドアの音は他の部屋までよく響くということで、夜間、ドアを開け閉めするような音は誰も聞いていないという証言があります』

それだけでは、たいして確実な証拠とも思えないが。

「そっと閉めたんじゃない？」

『だとしても、ドアをロックする際には、デッドボルトが、かなり大きな音を立てます。現に翌朝、奥さんが部屋の鍵を開けたときの音は、複数の住人が聞いているんです』

純子は、眉《まゆ》をひそめた。

「じゃあ、窓から逃げたっていうことは？」

『それもないということでした。窓は、奥の部屋に一カ所しかなく、蜘蛛《くも》が脱走するのを怖れて、ふだんから閉め切ってあり、しかも、内側から鍵付きの補助錠がかかっていたようなんです』

純子は、さっき見た窓を思い出した。たしかに、あそこから出入りするのは不可能だったかもしれない。

『しかも、奥さんには、その晩、しっかりしたアリバイがあるんです』

榎本の説明によると、その晩は、桑島美香の学生時代からの友人が泊まりに来ており、午後七時から翌午前一時までは、ずっと、ワインを飲みながら歓談していたのだという。

だが、彼女が無関係だとすると、他に犯行が可能だった人物はいるのだろうか。

『青砥先生の方は、何か、収穫はありましたか？』

「一つだけ。ピンセットのことで、わかったことがあります」

純子は、二種類のピンセットについて詳しく説明した。

『なるほど。興味深いですね。桑島氏が、毒蜘蛛に給餌する際に咬まれたとすれば、なぜ、コオロギを挟むのに適した先のカーブした昆虫用ピンセットを使わなかったかが、疑問になります。落としたピンセットが地面に突き立ったのも、不白然といえば不白然でしょう。一方で、もし、何者かが、桑島さんが毒蜘蛛に給餌中に咬まれたという偽装工作を行ったとすれば、一応の筋は通ります』

「でも、現場が密室だったとすると、やっぱり、考えすぎだったのかも……」

『いや。そうとも言えません。どうしても説明のつかないことが、もう一つあるんです』

「何ですか？」

『蜘蛛の餌の食べ方は、ご存じですか？』

純子は、顔をしかめた。

「食べ方って……がりがり齧《かじ》るんじゃないんですか？　あの黒い牙《きば》を使って」

『はずれです。蜘蛛は、獲物の体内に消化液を注入して、軟らかい体組織だけを溶かし、どろどろに溶けたスープを吸い上げるんです』

想像しただけでも、吐き気がする。

「ずいぶん、蜘蛛に詳しいんですね？」

そういえば、長野でも、厠《かわや》で見た蜘蛛の種類を即座に断定していた。

『店が暇なときは、よく、ＣＳのアニマルプラネットやディスカバリーチャンネルを見てますから』

「……でも、蜘蛛の餌の食べ方が、この事件に何の関係があるんですか？」

『わかりませんか？　もし、桑島さんがコオロギを与えているときに毒蜘蛛に襲われて、ピンセットが水槽の中に落ちたら、コオロギも、当然水槽の中に残ったはずです。その後、コオロギは毒蜘蛛の餌食《えじき》になったとしても、蜘蛛は中身を吸い出すだけなので、最低限、コオロギの殻だけは、水槽に残っていないとおかしいんです』

純子は、ぽかんと口を開けた。榎本が、水槽の中にゴミがなかったかと訊《き》いていたのは、このことだったのだ。

「じゃあ、やっぱり、これは……殺人？」

『そう思ったから、電話してきたんじゃないんですか？』

榎本の声は、憎々しいくらい落ち着いている。

でも、本当に、そこまで断定できるのか。たとえば、コオロギは、うまくジャンプして、桑島氏の腕を伝って逃げたという可能性はないのだろうか。純子は、右手でピンセットを持つ手つきを真似《まね》てみた。次の瞬間、あっと叫びそうになる。

「これ……やっぱり、ありえない！」

『どうしました？』

「桑島氏は、右手の中指の腹を咬まれたんですよね？　だけど、普通、ピンセットを持っていたら、中指は折りたたんでるはずだわ」

『なるほど』

榎本は、かすかな笑い声を漏らした。

『それは気がつきませんでした。ピンセット持ちでは、中指はたたんでいるはずですね。ひょっとしたら、三本の指を使う特殊な持ち方をしていたかもしれませんが、それでも、中指の、それも腹側を咬まれるとは、想像しにくいですね』

一つ一つは決定打にはならないかもしれないが、これだけぞろぞろ不審点が出てくると、作為を疑わざるを得ない。

だが、もし、これが殺人だとすると、犯人は、いったい誰なのだろう。純子は、ドアを凝視した。この部屋の中にいる二人が、ひどく怪しく思えるのは、あながち気のせいとも思えないのだが。

『青砥先生。気をつけてください。現時点では、桑島美香と、古溝という男が、最有力の容疑者だろうと思います』

考えていたことの図星を指されて、純子は、身震いした。

「でも、桑島美香には、確固としたアリバイがあるんでしょう?」

『今となっては、それが、かえって怪しいという気がしますね』

「なぜ?」

『毒蜘蛛に咬《か》ませるという殺害方法なら、犯人は、その場に居合わせる必要がないからですよ。被害者が咬まれるような仕掛けを作っておいて、安全な場所で、アリバイを作って待っていればいい』

まるで、獲物が巣にかかるのを待つ、蜘蛛のようではないか。

『それと、もう一人、その古溝という男も、重要な容疑者だと思いますよ』

「どうしてですか?」

『事件性なしという結論が出るまでは、警察でも、一応、リストアップしていたようなんです。何といっても、凶器となった蜘蛛には、誰よりも詳しいはずですから』

「でも、古溝さんが犯人だとすれば、動機は何なんですか?」

『それも、やはり蜘蛛じゃないでしょうか。桑島さんが蒐集《しゅうしゅう》していたタランチュラの中には、絶滅に瀕《ひん》していて入手困難になっている種類や、記録的なサイズのために、かなりの高値で取引されるものも交じっていたらしいんです』

そんな動機で人を殺せるとは、とても信じがたいが、マニアの心情には、想像を超えるものがあるのかもしれない。桑島氏が死んでしまえば、遺贈の約束があったなどと言って、価値を知らない未亡人から容易に巻き上げられると踏んでいたのだろうか。

「……だけど、古溝さんは、部屋の鍵《かぎ》を持ってないでしょう？」

『桑島美香の場合と同じで、犯行時に、部屋にいる必要がなかったとすれば、必ずしも、鍵は必要なくなるかもしれません』

　はっと閃《ひらめ》くものがあった。

「もしかしたら、二人が共犯だったということはありませんか？　だったら、犯行も簡単だったはずでしょう？　古溝さんは、蜘蛛の扱いだったらお手のものだから、桑島美香が鍵を渡せば……」

『それは、まずありえないでしょうね』

　榎本は、言下に否定した。

『二人が不仲なのは、演技という可能性もあります。しかし、もし共犯関係にあるのなら、わざわざ青砥先生を巻き込んだりする必要はないはずです』

「だったら、わたしに依頼を持ちかけてきた古溝さんは、犯人じゃないっていうことにはなりませんか？」

『古溝の単独犯であれば、必要に迫られてということは、充分考えられますよ』

　榎本は、考え深げに言う。

『ある理由から、古溝は、どうしても犯行現場の部屋に入りたかった。ところが、なぜか、未亡人が頑として応じない。そこで、あえて弁護士の助けを借り、部外者を巻き込むというリスクを冒しても、強引に部屋に入ることに成功する……』

「ある理由って?」

『素直に考えれば、犯行の目的である蜘蛛《くも》を入手するか、無事を確かめるためでしょう』

榎本は、ぽつりと付け加える。

『……あるいは、考えすぎかもしれませんが、殺人に関する物証を始末するためかもしれません』

4

純子は、掌《てのひら》の汗をぬぐってからドアノブに触れようとして、ためらった。なぜか、この部屋の中に入るたびに、状況が悪化していくような気がする。

無数の巨大蜘蛛がたむろしているというだけでも、いいかげん気が変になりそうだったのに、中にいる二人のうち一人は、殺人者かもしれないのだ。

犯人は、孤独な蒐集家《コレクター》か、あるいは、黒い寡婦《ブラック・ウイドウ》なのだろうか。

「いいかげんにしてください! そんなこと……」

ドア越しに、美香の金切り声が聞こえてきた。後半は、何を言っているのか聞き取れなかったが、どうやら、ただ事ではなさそうだ。

「ごまかすな! あんた、キャメロンをどうしたんだ?」

ドアを開けると、今度は、古溝の半分裏返った怒鳴り声に出迎えられる。

「何もしません！」

「じゃあ、キャメロンは、今どこにいる？」

「キャメロンだとかニコールだとか、本当に気持ち悪いわね！　そんなものを、いちいち、わたしが知るわけないでしょう？」

「あんたしか、いないんだよ。おい、いいかげんにしないと……！」

古溝は震え声で言い、奥の部屋から早足で出てくる。顔面蒼白《そうはく》になっていた。美香も、たじろいだように後ずさる。

「ちょっと待ってください。暴力はだめですよ！」

純子は、古溝の前に立ちふさがった。

「こ、この女が……！」

古溝は、純子の肩越しに、美香に指を突きつける。

「何ですか？　わたしが何かしたっていう証拠でもあるの？」

純子は、一瞬、二人を見比べた。

古溝の双眸《そうぼう》は、今や偏屈の域を超えて、狂気さえ漂わせている。偏見かもしれないが、この男が桑島氏を殺害した可能性は、充分にあると思う。毒蜘蛛というのは、まさに自家薬籠中《やくろうちゅう》の手段であるに違いない。動機は、現時点では不明だが、榎本が指摘したとおり、どうしても、桑島氏のコレクションを、我がものにしたかったのかもしれない。

一方、美香の方は、よくわからなかった。自宅を見る限り、家庭的な女性だという印象があったが、妻による夫殺しは、実は、非常に多いのだ。

ましてその夫が熱狂的な蜘蛛マニアであり、かつ相当な資産家である場合は、動機に事欠かないかもしれない。また、これまでは、古溝の変人ぶりに隠れて目立たなかったが、この男と互角にやり合っているところを見ると、彼女も、相当癖のある人格の持ち主なのかもしれない。

「正直に言えよ。あんたが、殺したんだろう？」

古溝の不穏な叫び声に、どきりとする。

「お二人とも、少し冷静になってください」

純子は、タイトルマッチを裁くレフェリーのように、殺気立つ二人を制した。

「古溝さん。キャメロンというのは、タランチュラの名前ですか？」

間をおくために、まずは、答えやすい質問をする。

「そうです！　桑島が生前、一番可愛がってた、チャコ・ジャイアント・ゴールデンストライプニーですよ！」

「その……キャメロンが、いないんですね？」

「そう！　いない。いないんだ！」

よほど興奮しているらしく、古溝は、オウム返しに答える。

「まちがいありませんか？」

「まちがいない！　本当に、いないんだって！　僕は、桑島が亡くなる三日前に、ここへ来た。そのときは、たしかに、この水槽にいたんだから」

古溝は、ワイヤーシェルフの上から二段目を指さした。たしかに、そこだけは空のようだ。まさか、逃げ出したのだろうか。純子は、パニックに陥りそうになった。

「……それは、どんなタランチュラなんですか？」

何とか自制心を働かせて、質問する。

「大きくて、美しくて、おとなしい種類の子ですよ……一応、こいつとペアになってるんだけど」

古溝は、隣の水槽に手を突っ込んだかと思うと、毛むくじゃらの代物を掌に載せ、純子の目の前に突き出した。

とっさのことで、何も反応することができない。純子は、顔から30㎝ほどしか離れていない位置で、啞然《あぜん》とタランチュラを凝視した。全体に金色がかった茶色で、肢《あし》にはくっきりとした縞模様《しまもよう》がある。

「こいつは雄で、金太郎。キャメロンよりずっと小さいけど、身体の色は、だいたい同じだね」

「キャ……キャメロンって、これよりまだ大きいんですか？」

叫びだしたいのを我慢して、可能な限り冷静に訊《たず》ねる。

「そう。キャメロンは、ニコールより一回り大きいからね。桑島家では、三本の指に入るんじゃないかな」

「桑島家なんて言わないで！　おぞましい」

美香が、吐き捨てるように言う。

「ふん。桑島は、あんたよりキャメロンの方を、よっぽど愛してたよ」

古溝は、掌の上でタランチュラを遊ばせながら、じろりと美香を見る。

「いいかげんにして！　もう、我慢の限界です。今すぐ、出て行ってください！」

美香は、ヒステリックに喚《わめ》き始めた。

「出て行かないと、警察を呼びますよ！」

ここは、ひとまず美香の言葉に従うしかないだろう。それに、タランチュラが逃げ出したかもしれない部屋には一時もいたくない。純子は、古溝を促して退去しようとしたが、古溝の方は、せっかく取り戻しかけた抑制が吹き飛んでしまったようだ。

「警察？　いいよ。呼んだら？　あんたが、キャメロンを殺したんだ。桑島も、どうせ、あんたが殺したんだろう。どんなことをしても、刑務所に行かせてやるからな！」

「刑務所？　あなた、いったい、何を言ってるんですか……？」

「動物愛護法違反だ。この子たちを餓死させようとした上、キャメロンを殺したんだろう。こちらの弁護士さんに訴えてもらうから、覚悟しといた方がいい」

それを言わないで。純子は、心の中で悲鳴を上げた。たしかに、動物愛護法にも、一年以下の懲役という罰則がないわけではないけど、タランチュラは対象外なのよ。それに、桑島氏を殺したと言いながら、何で、そっちの罪状がメインに来るの。

さぞかし美香も激昂《げっこう》し、とんでもない修羅場になるかと思いきや、一転して、不気味な沈黙が訪れる。

「とにかく、何でもいいから、さっさと済ませて出て行ってください。……いなくなった蜘蛛のことなんか、わたしは知りません」

ややあってから、美香は、低い声でつぶやくように言うと、二人に背を向け部屋の外へ出て行く。純子は、彼女が、部屋の中でもブーツを履いたままだったことに気がついた。

後ろから、なおも何か言いかけようとする古溝に、純子は、遠慮がちに問いかけた。

「その、キャメロンなんですけど、自力で水槽から逃げ出したっていうことはないんですか？」

古溝は、眉間《みけん》に深い皺《しわ》を刻んだまま、首を振った。

「そのへんは、桑島に抜かりはなかったんですよ。タランチュラは、ガラスのケースでも攀《よ》じ登ってしまうから、ここにあるのは全部アクリル製の水槽だし、蓋《ふた》は、絶対に開けられないようにしてありました」

古溝は、コオロギの水槽の蓋を開けて見せた。かすかな引っかかりで留まるようにはなっているが、強く引っ張れば開いてしまう。

「ここにある水槽は、だいたい、こんな撥ね蓋《トラップ・ドア》が付いてるんだけど、タランチュラは、種類によっては、蓋を見つけて、器用に開けてしまうんですよ」

「まさか」

こんな毛むくじゃらの虫けらに、そこまで高度な智能があるとは信じられなかった。

「一般の人は、蜘蛛《くも》類の頭の良さがわかってないんだ。ケアシハエトリなんていう蜘蛛は、獲物に気づかれないよう三次元的に迂回《うかい》して接近するくらいだからね……それはともかく、タランチュラが入っている水槽の撥ね蓋は、全部、こんなふうに外から固定してあったんですよ」

古溝は、別の水槽の蓋を示した。見ると、天蓋《てんがい》と撥ね蓋とが、細い針金をよじって留めてあった。純子は、キャメロンが入っていたという水槽をチェックしてみる。

「でも、ここには、針金は付いてないですね」

「それは、あの女がキャメロンを出した後だからですよ」

古溝は、苛立《いらだ》たしげに言った。

「空の水槽の蓋を固定したって、しょうがないでしょう」

それはそうだが、ひょっとすると、桑島氏が、たまたまこの水槽だけ針金で固定するのを忘れたという可能性もある。あるいは……いや、待て。馬鹿馬鹿しい。これではまるで、タランチュラが水槽から脱出する密室トリックではないか。

純子の脳裏に奇怪な映像が浮かんだ。蓋の格子の間から長い肢を伸ばした蜘蛛が、縒《よ》り合わされている針金を、くるくる回しながら解《ほど》くのだ。蜘蛛は、八つの目が並んだ榎本の顔をしていた。

『今、そちらに向かっていますが、事故があったらしくて、高速がかなり渋滞してるんです。たぶん、あと一、二時間はかかるでしょう』

榎本は、（純子の想像では）剛毛の生えた八本の肢をハンドルにかけながら言った。

「それで、キャメロンがいなくなったことは、どう思いますか？」

『そうですね。事件と、何らかの関係はあるかもしれませんが』

「……あ。ちょっと待ってください」

純子は、喋《しゃべ》りかけて言葉を切った。誰かが、外廊下に通じる階段を上がってくる。

姿を現したのは、小太りの若い男だった。一見、学生かフリーター風で、貧相なもみあげと顎鬚《あごひげ》を生やしている。男は、純子の姿を見て驚いたようだったが、何も言わずに横を擦り抜けると隣の部屋の鍵《かぎ》を開けた。表札代わりに貼り付けてある紙切れには、サインペンらしき字で『馬場《ばば》』と書かれている。桑島氏が部屋に入るところを目撃した隣人というのは、この男かもしれない。話しかけようかと純子が迷っている間に、男は部屋に入り、ドアを閉めた。

「失礼しました。今、ちょうど隣の人が帰ってきたんです」

純子は、小声で説明する。

「たぶん、桑島氏が部屋に入るのを見たという人だと思うんです。ちょっと、話を聞いてみましょうか？」

『ええ。……しかし、充分、気をつけてください』

榎本は、珍しく、どこか迷っているような声だった。

「どういうことですか？」

『もしかすると、容疑者のリストを、若干広げる必要があるかもしれません。その男も、シロという確証はありませんから』

「えっ？　でも、動機がないでしょう？」

隣人とのトラブルが殺人に発展するケースは珍しくないが、ここまで計画的に謀殺するというケースは、聞いたことがない。

『たしかに、動機は、わかりません。しかし、今は、どうやって毒蜘蛛に桑島さんの指を咬《か》ませたのかが問題なんです。桑島美香か古溝が犯人だと仮定すると、残念ながら、まだ納得できるだけの方法が見つかっていません。一方で、その隣人が犯人であった場合は、ドアを開閉する音がしなかったという証言は、無視できますからね』

「でも、たとえば、こういうのはどうですか？　桑島さんの上着のポケットに、毒蜘蛛を忍ばせておくんです。もし犯人が桑島美香だったら、機会はいくらでもあったでしょうし、古溝さんだった場合も、桑島さんがアパートに来る前に、どこかで落ち合ったのかもしれないでしょう？」

純子は、考えた中で一番見込みがありそうだと思った自説を披露した。

「犯人は、桑島さんがアパートに着いてから、何かを取り出すためにポケットに手を突っ込むことを知っていたんじゃないかしら」

『それに近いことは、私も考えました。しかし、問題点がいくつかあります』

榎本の声は、あきらかに否定的な響きを帯びていた。

『まず、犯人が古溝だとすると、桑島さんが自宅を出てアパートへ着くまでの短い間に、接触しなければなりません。しかし、桑島さんの自宅とアパートは車で五分の距離ですから、わざわざ、アパート以外の場所を指定して落ち合うのは、不自然じゃないでしょうか。しかも、短時間で、相手に気づかれないようにポケットに毒蜘蛛を入れるのは、きわめて難しいと思いますよ』

「じゃあ、桑島美香だったら？　あらかじめ上着のポケットに蜘蛛を入れておく時間的余裕はあったはずだし」

『だとしても、自宅を出てからアパートに着くまでの間に、ポケットに手を入れてしまうリスクは、無視できませんね』

「そうか……。それに、彼女に、危険な毒蜘蛛を扱うのは、まず無理かもしれませんね。下手すると、咬まれてしまうかもしれないし」

自分なら、水槽に近寄ることも無理だろうと思う。

『いや、そのこと自体は、できないこともないんです。蜘蛛に麻酔をかけておけばいいんですから』

「麻酔？　クロロホルムか何か使うんですか？」

『いくつかやり方があると思いますが、蜘蛛は二酸化炭素で眠るという話を聞いたことがありますｏ野生の蜘蛛を採集するときなんかに、よく使われる方法ですが』

純子は、キッチンのゴミ箱に二酸化炭素のボンベがあったのを思い出した。部屋に水槽がたくさんあったので、さほど違和感は覚えなかったのだが、よく考えると、二酸化炭素を必要とする水草などどこにもないのだ。

『それより大きな問題は、おとなしくさせておくかです。8㎝もある活発な徘徊性《はいかいせい》の蜘蛛を、どうやってポケットの中でおとなしくさせておくかです。麻酔が切れれば、とたんに飛び出してくるでしょうし、ずっと眠ったままなら、咬むこともありません。ぴったりのタイミングで目覚めさせるのは、まず不可能だと思いますよ』

「糸で、ポケットの内側に縛り付けておいたとか……」

桑島美香なら、それも簡単だっただろう。自宅には自分で刺繍《ししゅう》したらしいクッションが置かれていたし、持っている革製のポーチも手製らしい。彼女は、あきらかに裁縫が得意なはずだ。巨大な毒蜘蛛に触れられるかどうかは、別問題だが。

『だとしても、それだけ大きな蜘蛛が、ポケットの中で目覚めて、もぞもぞやってたら、気がつくんじゃないでしょうか？　それに、そこまでは上手くやれたとしても、私には、咬まれた後の桑島さんの行動が、不可解なんです』

「咬まれた後？」

『桑島さんは、誰よりもクロドクシボグモの恐ろしさを知悉《ちしつ》していたはずです。咬まれた場合には、命に関わることも。それなのに、救急車さえ呼ぼうとせず、ただ死を待っていたとしか思えないじゃないですか？』

　考えてみれば、その点は不思議だった。

「咬まれてすぐ、意識を失ったんじゃないんですか？」

『私は専門家ではありませんが、蜘蛛の毒が、そこまで効き目が速いということはないと思います。わずか一時間後に亡くなるほどの劇症だったにせよ、電話をかけるか隣の部屋に助けを求めるぐらいのことは、できたんじゃないでしょうか？……日本の病院には、クロドクシボグモの血清など置いてないでしょうから、たとえ搬送されていても、結果は同じだったかもしれませんが』

　純子は、ぞっとして、アパートのドアを見た。いったい、この中で何が起きたというのか。

「じゃあ、榎本さんは、どういう仮説を立てたんですか？」

『ポケットの中というのは、発想はよかったと思うんです。桑島さんはたぶん、見えない場所に手を突っ込み、咬まれたんでしょう。激痛を感じ、傷口を見て、蜘蛛類に咬まれたことはわかったかもしれませんが、咬んだ相手の正体までは、わからなかった……』

「咬まれた後も、毒蜘蛛の姿は、見えなかった？」

『そう考えるべきだと思います。ポケットの中なら、簡単に見て確認することができますからね』

　まだ、具体的な犯行方法こそ見えてこないものの、可能性は徐々に絞られてきたような気がする。毒蜘蛛《どくぐも》はどこに仕掛けられていたのか。見ないで手を突っ込む場所。ポケットではないというなら、バッグの中か。それとも、引き出しの奥だろうか。

『しかし、これはまさに……』

榎本は、言いよどむ。

「何ですか？」

『クモを摑《つか》むような話ですね』

純子は、アパートのドアの前で携帯電話をかざし、錠前とドアポストの写真を撮った。シャッター音が気になる。もし聞き咎《とが》められたら、どう言い訳しようか。

それから、そっとドアを開けて、中に入った。キャメロンというタランチュラがいなくなっているとわかった以上、どうしてもヒールを脱ぎたくはなかったので、今回は土足のままだった。桑島美香自身も、ブーツを履いたままなのだから、文句を言われる筋合いはないだろう。それにしても、自分だけブーツを履いて、他人が靴を脱いでいるのを見ても何も言わないというところに、彼女の人間性の一端を垣間《かいま》見ることができる。

古溝と桑島美香は、再び冷戦状態に戻っているようだった。二人とも、純子には見向きもしない。古溝は、一個ずつ水槽の中を覗《のぞ》き込んで、タランチュラの健康状態をチェックしているらしい。一方、美香の方は、少し離れた場所に立ち、古溝の一挙手一投足を監視している。すると、彼女の携帯電話に着信があり、美香は、純子と入れ違いに、ドアから外へ出て行った。

この機を逃さじと、純子は、写真を撮った。ドアの内側にあるサムターンと郵便受け。ゴミ箱にあった二酸化炭素のボンベ。奥の部屋に移動すると、毒蜘蛛の水槽やピンセット立ても撮影していく。古溝は、写真を撮っていることに対して、まったく無関心だった。

「何をしてるんですか？」

突然、ドアが開き、美香に声をかけられて、純子は、飛び上がりそうになった。

「もう、一時間ですよ。いったい、いつまでかかるんですか？」

険のある声だったが、どうやら、撮影に気づかれたのではないようだ。純子は、口から飛び出しそうになった心臓を、懸命に落ち着かせる。

「まだ、全部の子たちをチェックするには時間がかかる。何度も言うが、別に、あんたに立ち会って貰《もら》わなくてもいいんだけどね」

古溝が、ゆっくりと首を巡らして、美香を睨《にら》みつけた。

「誰も、好きで立ち会ってるわけじゃありません！」

美香も咬み付くような調子で応酬したが、自制したらしく、それ以上の舌戦には発展しなかった。

純子は、溜《た》め息を押し殺した。このままでは、神経がどうにかなってしまいそうだ。

二人のうち、どちらかが殺人犯だという可能性は、未《いま》だ消えていない。しかも、水槽には数十匹の特大サイズの蜘蛛が蠢《うごめ》いており、脱走した蜘蛛がいる可能性さえあるのだ。

マナーモードに変えておいた携帯電話が着信した。純子は、またもや戸外に移動する。

「はい。何か、わかりました？」

『青砥先生。今すぐに、その部屋を出てください』

「どうして？」

『危険だからです』

榎本の声は、いつになく真剣だった。

「あの二人のうち、一人が殺人者かもしれないってことは……」

『そうじゃありません。その部屋には、毒蜘蛛がいるかもしれないんです』

「それも、わかってますけど」

『……いいですか。その部屋には、まだ桑島さんを殺害した証拠が残されている可能性があります。犯人は、そのことを知っているからこそ、証拠の抹消ないし隠蔽《いんぺい》を図って、そこにとどまっているのかもしれないんです』

「そのことも、よく理解してるつもりですけど」

純子は、困惑していた。

『犯行方法をいろいろ検討しているうちに、一つ、大きな疑問が浮上しました。つまり、今水槽に残っているクロドクシボグモは、桑島さんを殺した蜘蛛ではないのではないか、ということです』

「どういうことですか？」

『水槽の毒蜘蛛は、事故を偽装するためのダミーなのかもしれません。もし、そうなら、実際に凶器となった蜘蛛は、別にいるはずです』

「別にって……どこにいるんですか？」

『その部屋のどこかです』

榎本は、冷徹な声で続けた。

『犯人は、見えない場所に毒蜘蛛を置いておき、桑島さんを殺害することに成功しました。しかし、何らかの手違いによって、その蜘蛛を回収することに失敗したんじゃないでしょうか。だからこそ、その部屋に入る入らないで、あれほど揉《も》めたわけです。そして、もしそうだとすれば、犯罪の生きた証拠である蜘蛛は、今でも、その部屋の中を徘徊している可能性があるんです』

5

このドアを開けるたび、状況は、確実に悪化の度を増していくようだ。

純子は、ノブを握ったまま、しばらく入るのを躊躇《ちゅうちょ》していた。

最初は、部屋いっぱいのタランチュラだった。次いで、二人のうち一人が殺人者である可能性が浮上し、そしてついには、世界でも最悪の毒蜘蛛が、部屋の中で野放しになっているかもしれないというのだ。

嫌だ、と思う。ここから逃げ出したい。もう、この中には、入りたくない。もはや、蜘蛛恐怖症《アラクノフォビア》というような次元の問題ではない。万一咬《か》まれれば、おそらく死ぬのである。そんな死に方だけは、絶対にしたくなかった。

だが、ここで自分が撤退すれば、どうなるか。中にいる二人のうち少なくとも一人は、無辜《むこ》の人間である。証拠の湮滅《いんめつ》をもくろむ犯人からすれば邪魔な存在だし、毒蜘蛛が徘徊《はいかい》しているかもしれないというのに、何も知らずに部屋の中に留《とど》まっていれば、いつ咬まれてもおかしくない。

純子は、大きく息を吸い込んだ。震える手で、ドアを開ける。

中の二人は、さっきと同じ位置に立っていた。

本当に、この二人のうちどちらかが、桑島氏を殺害したのだろうか。

古溝が、眉間《みけん》に皺《しわ》を寄せ、こちらを振り返った。

「先生。調べたところ、空の水槽は、二つあったんですよ」

「それは両方、最初っから空だったんです!」

美香が、気色ばんで口を挟む。

「そうは、思えないね」

古溝は、首を振る。

「水槽は二つとも、直前まで蜘蛛がいた形跡がある。中に残っている糸の状態を見れば、だいたいわかるんだ。一つは、キャメロンが入っていた水槽だろうな。もう一つは……、残念ながら種類までは特定できないが」

「じゃあ、つい最近、死んだんでしょう?」

「そんなはずはない!」

古溝は、大声で言うと、ワイヤーシェルフの陰に隠れて目立たなかった、地味な戸棚の扉を開けた。何段にも収納されている木製の標本箱が引き出されると、整然と並んでいるタランチュラの標本が、純子の目に飛び込んできた。

「桑島は、死んだタランチュラは、必ず、乾燥させて標本にしていたんだ。この中を調べてみたけど、キャメロンはいなかった」

純子は、慎重に近づいた。巨大蜘蛛の持つまがまがしさは、死んでもほとんど変わらないようだ。だが、死んだ蜘蛛に気を取られていると、物陰に潜んでいる生きた毒蜘蛛に襲われるかもしれない。汗ばんで冷たくなった指を固く握りしめて、呼吸を整える。

「これは全部、死んだ蜘蛛の標本なんですか?」

引き出し式の標本箱は、全部で二列×二十四段もあった。

「いや、タランチュラというのは長命で、特に雌は何十年も生きるんです。桑島は飼育の名人で、めったに死なせることはなかった。ここにある大半は脱皮殻ですよ」

古溝は、別の段の標本箱を引き出した。

「見てください。タランチュラの脱皮殻です。ほら、これが、キャメロンが脱ぎ捨てた皮ですよ」

脱皮殻という言葉で、蛇の抜け殻のようなものを想像したのだが、そこにあるのは、金色がかった毛から黒い牙《きば》まで形が残されている、完璧《かんぺき》な模型のようなものだった。素人目には、死骸《しがい》の標本と、まったく区別がつかない。ずらりと並んだ脱皮殻は、虫ピンできれいに展脚されており、うち一本のピンには日付入りのラベルが刺されている。日付が最近のものほど脱皮殻のサイズも大きくなっているので、成長の度合いは一目瞭然《いちもくりょうぜん》だった。

「ああっ！　肢《あし》が！」

古溝は、二週間ほど前の日付の一番大きな脱皮殻を指して、泣き声を上げた。見ると、右の前肢の一部が壊れて、もげそうになっていた。

「脱皮殻は、乾燥後は、ひどく脆《もろ》くなるんですよ。ちょっと触っただけで壊れてしまうんで、細心の注意が必要なのに。どうして、こんなことになったんだろう。これがキャメロンの形見になるかもしれないんですよ……」

「あの……黒毒蜘蛛《くろどくぐも》のことなんですけど」

純子は、いきなり質問を投げかけてみた。

「クロドクシボグモ？」

「ええ。黒毒……死亡蜘蛛ですか？」

驚いたことに、古溝は、耳障りな声で笑い出した。

「黒毒・死亡蜘蛛じゃない。クロドクシボグモですよ。シボグモ」

「シボグモって？」

「腹の部分が絞り模様になってることから付いた名前でね。シボグモの仲間は、徘徊性の蜘蛛で、絞り模様がカモフラージュになり、草や落ち葉に身を隠しつつ獲物に忍び寄って、強力な毒牙《どくが》で仕留めるんです」

ふと、美香の革のポーチには、縮緬皺《ちりめんじわ》を付けた、いわゆるシボ革が使われていたことを思い出す。

「タランチュラと比べると、いかにも地味ですがね、腹の模様は一匹一匹違うんですよ。うちの子は、ずっと色が薄くて、ほとんど見えないかな……」

そのとき、純子の中で、何かが警鐘を打ち鳴らした。

「それで、クロドクシボグモがどうしたんですか？」

古溝に反問されて、あわてて、しかけていた質問を思い出す。

「ここにいるのは、一匹だけですか？」

「一匹……そうですが。どうして？」

「いえ。キャメロンみたいに、蜘蛛はみんな、雄と雌のペアで飼われてたのかなと思ったので」

古溝は、沈黙した。再び眉間に深い皺を刻んでいる。その目に浮かんだ表情は、険悪というのでもなく、まるで蜘蛛のように不可解で、とらえどころがなかった。

全身に冷や汗をかいているために、外廊下に出て冷たい外気に触れると、一瞬ぞくりとする。だが今は、毒蜘蛛と死で充満した部屋から外に出られさえすれば、悪寒ですら心地よく思われた。純子は、秋空を流れていく雲を見ながら、しばらく茫然《ぼうぜん》としていた。

『馬場』という名札の付いたドアをノックする。妙に甲高く女性的な声で返事があり、さっき帰ってくるのを見た男が顔を覗《のぞ》かせた。純子を見ると、驚いた表情になる。

「わたし、こういう者なんです。ちょっと、お話を聞かせていただきたいんですが」

名刺を渡し、桑島氏の事件について調べていることを告げる。馬場は、最初のうちこそ、とまどっている様子だったが、女性弁護士の美貌《びぼう》を見て徐々に警戒心を解き（純子の解釈だが）、口もほぐれてきた。

「えーそうですね。あの晩、見ましたよ、隣の人が部屋に入るとこ。俺も、たまたま帰ってきたとこだったんで」

馬場は、しょぼしょぼと生えている顎鬚《あごひげ》に手をやりながら答える。見かけによらず、声をひそめる程度の常識はあるようだった。

「それは、まちがいなく、桑島さんでしたか？」

「うーん……。まあ、いつも見る人なんで。まちがいないすよ」

「その後は、誰も来なかったんですね？」

「あー全然。ここ、ドアの音はよく響くんで、人が来たら絶対わかりますよ」

やはり、榎本の情報は、たしかだったようだ。だが、馬場は、続いて聞き捨てならないことを言い出した。

「でも、部屋の中には、誰かいたんじゃないっすかね」

「え？　どうして？」

「話し声がしたんで。その、桑島さんですか？　部屋に入ってすぐ」

「話の内容は、わかりましたか？」

「いやあ。さすがに、何を言ってたかまでは聞こえなかったすね。何か、ぼそぼそ言ってて。誰かを宥《なだ》めてるような感じだったかな」

馬場は、首を捻《ひね》る。

「それで、そのすぐ後……叫び声が聞こえたんですけどね」

「叫び声？　どんな？」

「男の声で、わっとか、ぎゃっという感じの。それから、ちょっとの間、何か喚《わめ》いてたみたいなんだけど、すぐ静かになって……。で、また五、六分してからかな。今度は、重いものが落ちるような音がしたんですよ。がたん……どさっというような」

桑島氏は、そのときに倒れ、そして昏睡《こんすい》の後に絶命したのだろう。

だが、もし、部屋の中に他の人物がいたとなれば、今まで立てていた推理の前提は崩壊する。それだけではない。その人物は、いったいいつ、どうやって、部屋から脱出したのだろうか。

『送っていただいた写真は拝見しました。釣り糸かサムターン回しをドアポストに通し、外から鍵《かぎ》をかけられないかと考えたんですが、かなり難しいようですね』

榎本は、淡々と言う。サムターン回《サムターン》しとは、関節の付いた針金のような器具で、ドアポストなどの狭い隙間を通して、錠のつまみを回して解錠するのだ。たとえるなら、蜘蛛の肢によく似た……。

『郵便受けは何とかクリアーできそうですが、肝心のサムターンには、防犯用のカバーが付いているのがネックですね。百パーセント不可能とは言えませんが、とりあえず、その可能性は無視してもいいでしょう』

「……つまり、やっぱり鍵がないと、施錠して立ち去ることはできないっていうことですね？」

『ええ。しかし、鍵を持っている桑島美香にはアリバイがありますし、ドアを開閉すればわかったはずと、隣人も証言してるんですよね？　やはり、桑島さんが毒蜘蛛に咬まれたとき、あの部屋には、他に誰もいなかったんじゃないでしょうか』

「でも、今言ったじゃないですか？　桑島氏が部屋に入ってすぐ、話し声が聞こえたんですよ？」

『そのことは、今は、あまり重視しなくてもいいと思います』

榎本は、ホットな重要証言を、いとも平然と無視する。

「なぜですか？」

『聞こえたのが誰の声かまでは、わからなかったんでしょう？　それはたぶん、桑島さん本人の声だと思いますよ』

「でも、桑島氏が話していたということは、相手が……」

言いかけて、はっと気がついた。話し相手が室内にいたとは限らないのだ。

「電話を、かけていた？」

『それも、一つの解釈です』

冷たい秋の風が、外廊下を吹き抜けていった。純子は目を閉じて、もう一度、頭の中で状況を整理した。

「じゃあ、やっぱり、あの部屋のどこかに、毒蜘蛛が仕込んであったんですね？」

『そこまでは、まず、まちがいないと思いますね』

純子は、溜《た》め息をついた。

通話を終えて、部屋に戻ろうとしたとき、ドアが開き、中から桑島美香が出てきた。

「弁護士さん……」

「ああ、すみません。思ったより、長くかかってるみたいなんですが。たぶん、もうじき終わるんじゃないかと……」

「隣の部屋の人と、何を話されてたんですか？」

しまったと思う。聞かれていたのか。

「ええと、たいしたことじゃないんですが……」

とっさには、うまい言い訳が浮かばない。

「わたしは、こそこそと嗅《か》ぎ回るようなことをされるのが、あまり好きじゃないんです」

美香は、冷然と言い放つ。

「あなた、あの異常者とつるんで、本当は、何を調べてるんですか？」

純子は、たじろいだ。

「わたしはただ、古溝さんの依頼を受けて……」

「蜘蛛《くも》の命を助けに来たんですか？　信じられない。だいたい、蜘蛛を殺して罪になるなんてことが、本当にあるんですか？　弁護士さんの言うことですから、さっきはつい信じちゃいましたけど、常識で考えると、やっぱりおかしいっていうか、ありえないと思うんですけど？」

「それは……」

猫だと思っていたという言い訳が、ここで通じるとは、とても思えない。まさに絶体絶命の窮地だった。

「主人の会社のことは、ご存じですよね？」

美香は、話題を変える。助かったという思いを極力顔に出さないようにして、純子は、「ええ」と答えた。

「胡蝶堂本舗は、主人があああいう亡くなり方をしたんで大打撃を受けました。食べ物商売ですし、イメージを売っているようなところもありますから。インターネットなんかでもひどい噂が流れたりしたんです。お菓子の餡《あん》の中に、タランチュラの肢《あし》が入ってたなんていう、もう根も葉もない……！」

　美香は、一転して、ひどく悲しげな、訴えるような目つきになった。最初に会ったときも思ったが、自然光の下であらためて見ると、ファンデーションの上からでもわかるくらい、瞼《まぶた》を泣き腫《は》らしているようだ。

「わたしたちは、あの事件以来、ずっと辛《つら》い思いをしてきたんです。葬儀も、ようやく終わったばかりなんです。どうか、これ以上、引っかき回さないでもらえませんか？」

「それは……」

　もし、犯人が古溝だと確信できるなら、桑島美香に、殺人の可能性が濃厚であることを打ち明けて、協力を求めるというやり方もある。だが、現時点では、彼女がシロだという確証はない。

「一つだけ、教えていただけませんか？」

　純子は、唇を舐《な》めた。

「どうして、ご主人が亡くなって、すぐに蜘蛛を処分なさらなかったんですか？」

「そうしようとはしました」

　美香は、苦笑気味に言う。

「すぐに、バルサンを焚《た》きに行ったんです。でも、あの男が部屋の前で見張ってたんで、トラブルになりそうだと思い、しかたなく帰ってきました」

　部屋ごと煙で燻蒸《くんじょう》する殺虫剤だ。どうやら、美香がタランチュラたちを全滅させようとしているという古溝の主張は、事実無根でもなかったようだ。

「それから二、三日して、もう一回行ってみたんですけど、やっぱり、あの男がいるんです。まるでホラー映画の一シーンみたいに。もう、心底ぞっとしました。だから、蜘蛛は、全部自然に死ぬまで、放っておこうと思ってたんですけど」

「でも、何も、皆殺しにしなくても。殺すのは、一匹だけでいいんじゃないですか？」

「一匹だけ？　そんなこと、どうやって……」

美香は、いったん口をつぐんでから、激しくまくし立て始めた。

「それは、あの蜘蛛だけは、すぐにでも殺してやりたいと思いましたよ。主人を奪ったんですからね。でも、ほかの蜘蛛だって、同じなんです。あんな、醜い、嫌らしい生き物。どうしてあんなものを飼うのか、本当に気が知れませんよ。もう、どれだけ……どれだけ、わたしが苦しめられたか、あなたには、絶対にわかりません！」

「何か、そんなに嫌なことがあったんですか？」

「嫌なこと？　わたしは、昔から蜘蛛が死ぬほど嫌いだったんですよ？　結婚するまで、主人にあんな趣味があるなんて、思いもしませんでした。最初に見せられたときは、卒倒するかと思いました。だから、家にだけは、絶対に入れないでって頼みました。それで、主人は、この部屋を借りたんです。でも、出張に行くときは、わたしに、無理やり世話を押しつけたんですよ！　あんな化け物、どれも、見るだけで虫酸《むしず》が走るのに！」

同じ蜘蛛嫌いとして、桑島美香の感情は、充分納得できるものだった。

しかし、それは、裏を返せば、殺人の動機にもなる。離婚すればいいようなものだが、夫が自宅の外で蜘蛛を飼っているというだけでは、まず無理だろう。蜘蛛の世話にしても、拒否すればいいだけの話だからだ。

もちろん、別居や出奔という選択肢はある。だが、美香に、金銭に対する強烈な執着があったら、どうだろう。殺人によって、蜘蛛と夫を一挙にお払い箱にして、遺産をすべて手中にできるという誘惑は、抗しがたいものにならないだろうか。

美香は、古溝を監視するために部屋に戻ったが、純子は、すぐに後に続く気にはなれなかった。せめて、犯行の具体的な方法と、凶器となった毒蜘蛛の居場所がわかればいいのだが。

廊下の突き当たりまで歩いたとき、小学校の高学年くらいの女の子が、門を入ってくるのが見えた。このアパートの住人の子供だろうか。そう思って見下ろすと、手にチラシの束のようなものを持っているのが目に入る。

そっと観察を続ける。チラシを一枚一枚ドアポストに挟んでいるようだ。集合ポストに入れると、その場でゴミ箱に捨てられてしまうからかもしれない。それにしても最近は、人件費を抑えるために、アルバイトに子供を使うらしい。

その瞬間、脳裏に電流が走ったような気がした。

ようやく、何もかも、わかったと思う。ドアも窓も完全に閉ざされている場合、密室を破るのは、ドアポストの投函口《とうかんぐち》しかないではないか。

『ドアポストですか？』

榎本の反応は、予想通りというべきか、芳しくない。

『テレビの二時間ドラマだったら、それでいいのかもしれませんね。開口部から毒蜘蛛や毒蛇を放り込めば、殺し屋のような使命感で犠牲者に忍び寄り、がぶりとやってくれる。しかし、現実にそれで首尾良く殺せる確率は、たぶん、千に一つか……』

「いいえ。そんな、適当なやり方じゃありません」

純子は、渋滞で苛々《いらいら》しているらしい榎本の皮肉を遮った。

「榎本さんがアパートの部屋にいるとき、外からドアポストに郵便物のようなものが差し込まれたら、どうしますか？」

榎本は、一拍間をおいてから答えた。

『おそらく、中から、その郵便物を取るでしょうね』

「そのとき……たとえば新聞のような分厚いものを想像してほしいんですけど、郵便物を取ろうとするときは、ちょうど、裏側に中指が来るんじゃないでしょうか？　もし、そこに毒蜘蛛が貼り付けてあったとしたら、どうですか？」

榎本は、沈黙した。

「もっとも、あの部屋では新聞は取ってないでしょうし、郵便が来る時間には遅すぎますから、不審に思ってドアを開けるかもしれませんけど。でも、たとえば、カタログのようなものが入っていたら、とりあえず見ようとするんじゃありません？　厚みも、裏側をくり貫《ぬ》いて蜘蛛を仕込むのに充分だと思いますし」

『そうですね。私は、毒蜘蛛が仕掛けられた場所を部屋の中に限定して考えていましたが、密室だと思われた部屋にもドアポストの穴が開いていて、一時的に外から挿入するという手があったんですね。ドアの鍵《かぎ》も必要なくなるし。……ただ、そのやり方だと、犯人は、犯行時に現場に出向いていなければなりませんが、古溝を疑ってるということですか？』

榎本は、例によって、粗探しを始めたようだ。純子は、どんな難癖にも反論するための、心の準備を整えた。

「ええ。わたしは、彼が、重大な虚偽を述べていたことに気がついたんです」

『と言うと？』

「最初にクロドクシボグモについて訊《き》いたとき、古溝さんは、正統派のタランチュラ愛好家を自称し、あんな危険な蜘蛛を飼うのはやめた方がいいと言ってました。ところが、ついさっき、シボグモという名前の由来を話しているとき、うっかり『うちの子は、ずっと色が薄い』と漏らしたんです。つまり、古溝さん自身も、クロドクシボグモを飼ってるっていうことになりますよね？」

『なるほど』

榎本も、感銘を受けたような声になった。

『現実に、今もクロドクシボグモを飼っているのなら、話は早いですね。たしかに、そのやり方なら殺害は可能だと思います。ただやはり、その後の被害者の行動が納得できないですね。毒蜘蛛《どくぐも》に指を咬《か》まれれば、かなりの激痛が走ったはずです。ふつうは、驚いてまずドアを開け、相手を確認するんじゃないでしょうか？』

「それは……痛さのあまりうずくまってしまい、そこまでできなかったのかも」

『それに、もしそのやり方が功を奏したのなら、犯人は、偽装した郵便物に仕込んだまま、毒蜘蛛を持ち去っているはずです。なぜ、古溝は、今また、その部屋に入りたがったんでしょう？』

「それも考えましたけど、たとえば、桑島さんを咬んだときに、何かの拍子で、毒蜘蛛を固定していた糸か接着剤のようなものが取れてしまって、蜘蛛は部屋の中に逃げ出したというのは……」

『だとすると、ますます被害者の行動が不可解になりますね。逃げ出した毒蜘蛛を見れば、自分が何に咬まれたのかは一目瞭然《いちもくりょうぜん》でしょう。救急車を呼ぶか、隣人に助けを求めるか、あるいは、ダイイング・メッセージを残すかくらい、しそうなものです』

どうも、旗色が良くない。せっかく、密室を破ったと思ったのに。

「じゃあ、郵便物に仕込まれた毒蜘蛛は、逃げ出すこともなく持ち去られたとしましょう。古溝さんがあの部屋に入りたがったのは、本人が言うとおり、コレクションの無事を確かめるためだったのかもしれませんし」

あるいは、もし隙があれば、ちょろまかすためにだ。

『だとしても、隣人の証言と矛盾する点は、致命的だと思います。ドアを開閉する音とか、部屋の中の話し声まで聞こえるくらいですから、ドアポストをがちゃがちゃやってたら、当然、その音も耳に入るんじゃないでしょうか？』

電話を切ってから、純子は、呪われた部屋のドアを見つめた。

これ以上、外で逡巡《しゅんじゅん》しているわけにはいかなかった。それでは、逃げ出すのとたいして変わらない。

だが、結局、まだ何もわからないままである。これまでは、このドアを開けるたびに、状況は悪化していった。もしかしたら、今度こそ、死神に近づくことになるのだろうか。

6

純子が部屋に入ると、古溝が、奥の部屋から出てくるところだった。いつのまにか、スニーカーを履いており、手には、ジップロックらしい透明な袋を提げている。

「ようやく、話がつきました。これで、この子たちを連れて帰れますよ」

満足げに、袋をかざしてみせる。中には、縦長で肢《あし》も長く、これまでに見た中でも最も大きなタランチュラが入っていた。うなじの毛がちりちりと逆立って、思わず、二、三歩後ずさりしたくなる。

「紹介します。この子が、体長では世界最大種である、インディアン・オーナメンタルの、シャーリーズです！」

古溝は、蜘蛛を入れたジップロックを持ったまま、キッチンにやって来た。

「話がついたって、どういうことですか？」

「だから、ここの子たちを、全部、連れて帰っていいということですよ」

桑島美香の方を見ると、無表情なまま、うなずいた。

「備品なんかには手を付けずに、水槽の中の蜘蛛だけを持って帰るというんで、許可したんです」

これだけの蜘蛛を持ち帰り、収容できる余裕があるのだろうか。純子は、心配になった。古溝は、上機嫌な様子で冷蔵庫のドアを開ける。つられて中を覗《のぞ》き込んだ純子は、悲鳴を上げそうになった。

「そ、それ何ですか？」

古溝は、怪訝《けげん》な表情になる。

「ああ、これ。ピンクマウス。冷凍したネズミの仔《こ》で、大型のタランチュラの餌にするんですよ」

古溝は、ネズミの赤ん坊がぎっしり詰まったビニール袋と数本の缶ビールを、無造作にテーブルの上に出した。純子は、心底げんなりし、タランチュラの世話をさせられていたという美香に、同情した。

「でも、これ、どうするんですか？」

「今、ちょっと邪魔なんで、出しただけですよ」

代わりに、手に持っていた、タランチュラ入りのジップロックを冷蔵庫に入れる。

「そんなことしたら、死んでしまうんじゃないですか？」

ぎょっとして訊《たず》ねると、古溝は、首を振った。

「温度が下がっても、冬眠状態になるだけですよ。タランチュラに麻酔をかけるときは、たいてい、こうやるんです。運搬の都合上、元気の良すぎるタランチュラには、いったん、眠ってもらわないといけないんで」

「そうなんですか」

純子は、ゴミ箱にあったボンベのことを思い出した。

「でも、二酸化炭素を使った方が、簡単じゃないんですか？」

「二酸化炭素？」

古溝は、顔をしかめる。

「本当のタランチュフ愛好家は、二酸化炭素は使いませんよ。代謝が下がるために、後で脚部などが壊死《えし》してしまう危険性があるからね」

「そうなんですか……？」

純子は、当惑した。

「じゃあ、桑島さんも、二酸化炭素は使わなかったんですか？」

「もちろんです。桑島はね、そういうとこは、僕以上に神経質でしたから」

よほど古溝にボンベのことを訊こうかと迷ったが、思いとどまった。この男は、依然として容疑者の一人なのだ。

古溝は、用意してきたジップロックの中に、うまくタランチュラを追い込んで、一匹ずつ冷蔵庫へ運び始めた。

「このままの状態で眠らせて、持って帰るんですか？」

「いや、全部で、四、五十匹はいるからね。積み重ねられるように、とりあえずは、これに入れとかないと」

古溝が指したのは、彼が持参したボストンバッグにいっぱいの、プラスチックの石鹸箱《せっけんばこ》だった。どうやら、最初から、すべての蜘蛛を持ち帰る腹づもりでいたらしい。

「海外から輸送するときなんかは、よく石鹸箱を使うんです。タランチュラを詰め込むと、ちょうど動けなくなるサイズだし、けっこう頑丈で、うまい具合に空気穴も開いてるしね。ただ、凶暴な種類の場合は、肢をたたんでここに入れるのが、けっこう危険なんですよ」

古溝は、結局、二十四近くを冷蔵庫の中に入れた。冷却する時間をキッチンタイマーで計りながら、奥の部屋に戻る。革の手袋を嵌《は》めると、残ったタランチュラを手でつかんで、どんどん石鹸箱の中に詰めていく。

桑島美香が、気分が悪くなったようにハンカチで口を押さえて、トイレに入った。今が、古溝に質問する好機かもしれない。

「古溝さんは、クロドクシボグモをお飼いになってますよね？」

「え？」

一瞬、手が止まりかけたが、古溝は、何気なさを装って訊《き》き返す。

「どういうことですか？」

「さっき、シボグモの模様について話されてたとき、『うちの子は、ずっと色が薄い』とおっしゃってたじゃないですか？」

「それは……そんなこと、言ったかなあ」

「これ以上、隠さないでください。あなたがタランチュラにお詳しいように、わたしたち弁護士は、人の嘘を見破る専門家なんです」

自分でも少々はったりが過ぎるとは思ったが、巷《ちまた》にはびこっている弁護士信仰が、ここでも絶大な威力を発揮したようだった。

「まいったな。その、別に、嘘をつくつもりはなかったんだけどね」

古溝は、初めて見るくらい殊勝な面持ちに変わった。

「たしかに、僕は、クロドクシボグモを飼ってます。まあ、ふつうの愛好家には勧《すす》められませんよ。やっぱり、僕とか桑島ぐらいの管理能力が必要になってくるんでね」

「桑島さんの飼ってたクロドクシボグモも、古溝さんが譲渡したものだったんですね？」

「そうそう。僕がね、伝手《つて》を頼って、ブラジルから輸入したんですよ」

「どうして、飼ってないようなふりをしたんですか？」

「それは……あのねえ。わかってもらえないかなあ」

古溝は、わざとらしく溜《た》め息をつく。

「バッシングですよ。バッシング」

「はあ？」

「世間では、タランチュラを飼うことに対して、根強い偏見があるんです。何一つ知りもしない連中が、危険だのキモいだのと勝手なことをほざく。ましてや、逃げ出そうもんなら、もう大変。警察は出動してくるし、市役所は側溝に殺虫剤を撒《ま》き散らす。飼い主は、付近一帯の住民を危険に晒《さら》したと、完全に犯罪者扱いですよ」

「しかし、それは、しかたがないんじゃないでしょうか」

「そりゃあ、不注意は責められるべきですよ。いいですか？　しかし、あまりヒステリックに騒ぎ立てられると、こっちも反論したくなってくる。世界でタランチュラに咬《か》まれて死んだとされているのは、これまでにたった一例、世界最大種のゴライアス・バードイーターによるものだけですよ。それも、かなり疑わしい話で、当然、日本ではゼロなんだ。一方で、セアカゴケグモはどうなの？　死亡例はずっと多いのに、野放しに近い状態じゃないか？　だいたい死亡者数で言えば、スズメバチなんか、毎年、三、四十人が刺されて死んでるんですよ！」

「だからといって、タランチュラをいいかげんに飼っていいってことには、なりませんよ。飼い主には、相応の責任があるはずです」

「だから、それは否定してないでしょう？　僕ら愛好者は、一匹も逃げ出さないように、細心の注意を払っている。見てくださいよ。桑島も、ケージの撥ね蓋を針金で留めるだけじゃなく、窓まで完全に閉め切ってたくらいだから。……だけど、桑島が亡くなったような事故が起きると、そのとたんに、もう無茶苦茶な非難を受けるんですよ。一般人には、タランチュラもクロドクシボグモも区別がつかないから、愛好家のみんなに迷惑をかけてしまう」

古溝は、急に哀れっぽい声になった。

「それだけじゃない。もし、僕が、クロドクシボグモを個人輸入したことがわかったら、バッシングの嵐にさらされますよ。おまえが咬まれて死ねとかBBSに書き込まれたり、脅迫状が来たり。まして、一匹いなくなってることがわかったら……」

「一匹いない？」

「弁護士さん、さっき訊いてたじゃないですか。クロドクシボグモは、雄と雌のペアじゃなかったのかって。僕が桑島に譲ったのは、二匹です。そのうち、身体が大きくて毒性も強い、雌の方がいなくなってるんですよ」

『少なくともこれで、水槽に残っていた毒蜘蛛《どくぐも》はダミーであり、桑島さんを死に至らしめたのはもう一匹の方だったという推理は、裏付けられましたね』

榎本は、考え深げに言った。そんなに、のんびり構えている状況じゃないでしょうと、純子は思う。古溝は、もうすぐタランチュラの梱包《こんぽう》を終えて、部屋を退去することだろう。

古溝が犯人なら、すでに証拠を回収し終わったことになるし、かりに犯人が美香であれば、後から、誰にも邪魔されずに、ゆっくり処分することができるのだ。

「でも、今の段階で、わかってることがそれだけじゃ……」

『いや、渋滞のおかげで、たっぷりと考える時間がありました。犯行方法は、ほぼ二つに絞られると思います』

「え？　本当ですか？」

景色を眺めながら外廊下の手すりにもたれていた純子は、携帯電話を下に取り落としそうになった。

『もちろん、それ以外の方法が存在しないという証明はできません。しかし、種々の状況証拠、特に、隣人の証言と矛盾しないやり方となると、私に思いつけたのは、この二つだけです』

榎本は、二つの方法を詳細に説明する。

「そんな……ひどい！」

純子は、軽い衝撃を受けていた。どっちもどっちという冷酷非情さである。そんな方法に簡単に思い至る榎本にまで、不信感を禁じえないほどだ。

『殺人そのものより、ひどいでしょうか？』

「それは……もちろん、そういうわけじゃありませんけど」

『問題は、どうやって真実を検証するかです。時間がありませんから。便宜上、この二つの方法を、プランA、プランBと呼びましょう』

　榎本は、淡々と話を進める。

『プランAでは、犯人は、古溝ということになります。相当特殊な知識と技能を要求されるはずですし、もし桑島美香が犯人だったとすると、後始末は簡単なので、古溝を部屋に入れるかどうかで今回のような大騒ぎをする必要はありませんからね。プランAの場合、毒蜘蛛はすでに死んでいますから、不用意に仕掛けに触ったりしないかぎり、危険はないでしょう』

　それだって、充分、危険だと思うのだが。

『プランBだと、一応、二人とも犯行が可能だったと思います。ただし、より機会に恵まれていたのは、いつでも部屋に出入りできた桑島美香の方ですね。必要な能力という点でも、たぶん、彼女の方に軍配が上がります。……厄介なのは、この場合は、毒蜘蛛がまだ生きている可能性があることですね』

　純子は、嘆息した。黒い毒蜘蛛。死亡蜘蛛。おまえはいったい、どこにいる。

「……それで、いったい、どうやって検証したらいいんでしょう？」

『まず、プランBから確認すべきだと思います。クロドクシボグモが生きているとすれば、とても素人には扱えませんからね。ここはとりあえず、犯人は桑島美香であると仮定して、古溝の協力を得るしかないでしょう』

　安易に、そんな決め撃ちをしていいのだろうか。協力者に選んだ古溝が、万が一真犯人だったら、どうしてくれるのか。邪魔者となった美貌《びぼう》の女性弁護士を毒蜘蛛を使って亡き者にする、絶好のチャンスを与えるだけではないのか。

だが、他に選択肢は、見当たらなかった。

今は亡き桑島雄司氏は、タランチュラの脱走を防止するために、偏執的なまでの配慮を行っていたことがわかった。

およそ蜘蛛が這《は》い込めそうな、隙間という隙間は、アルミテープによって目張りしてある。窓は、単に補助錠が付けられているだけでなく、瞬間接着剤で固められていることが判明したし（退去するときは、どうするつもりだったのかと思う）、蜘蛛の子ぐらいしか通れそうもないキッチンの換気扇や、壁の換気口、排水口に至るまで、すべて目の細かいネットで覆われていた。トイレやユニットバスは、扉が閉まっていた場合、蜘蛛が入るのは不可能だが、たまたま開いていたという前提で、念入りにチェックしてみた。しかし、どこにも隠れられるような場所はない。

「ドアポストから、外に逃げたってことは、ありませんか？」

純子は、自分が最初に着目した開口部にこだわった。

古溝は、にやりと、不揃いな歯並びを見せる。

「まず、ドアの内側には郵便受けの箱が付いてるから、その蓋《ふた》を開けなきゃならないけど、これは、誰がどう見たって不可能でしょう。内側の蓋が開けっ放しだったとしても……、まあ、そんなことは桑島の場合あり得ないけど、ドアポストに付いてる、このバネ付きの蓋。これを内側から引き開けるのは、蜘蛛には絶対無理だね。蜘蛛には、全然腕力がないからね」

だとすると、ドアポストから抜け出すのは、たとえ榎本の頭脳を持った蜘蛛であっても、不可能ということになる。

「じゃあ、まだ、部屋のどこかに隠れているんじゃ？」

「隠れられそうな場所って言っても、ちょっと見あたらないなあ……」

古溝は、腕組みをして、周囲を見回した。

「ここは、桑島がタランチュラの飼育のためだけに借りたアパートだから、余計な家具は、本当に、何もないんですよ」

「キッチンの、ゴミ箱はどうですか？」

「まあ、そこぐらいかな」

古溝は、ビール缶などで蓋が開いたままの、ゴミ箱の前に立った。はみ出している二酸化炭素のボンベを見て、眉《まゆ》をひそめる。

それから、右足を伸ばしてそっとペダルを踏み、中を見下ろした。

「この中に入り込んだとすると、全部、ここに空けるしかないね」

「お願いします。……できるだけ、音を立てないようにして」

古溝は、何かを敷くということもせずキッチンの床にゴミ箱を横倒しにすると、盛大な音を立てて中身をぶちまけた。

玄関のドアが開き、桑島美香が、入ってくる。

「あなたたち、何をしてるんですか?」

ほんの二、三分前、気分が悪いと言って空気を吸いに出て行ったときとは、形相が一変していた。

「すみません。ついうっかり、ひっくり返しちゃって」

純子の見え透いた言い訳は、革手袋を嵌《は》めて、及び腰で空き缶の山を突っついている古溝の姿が、嘘であると宣言しているようなものだった。

「もう、いいから、早く蜘蛛を持って出てって!」

美香は、金切り声で叫んだ。今度こそ妥協の余地はなさそうだと、純子は見て取った。

「……やっぱり、ここには、いないな」

古溝が、我関せずという様子で、つぶやいた。

ここ以外に、クロドクシボグモが隠れられそうなところがないとすれば、プランBは、幻想だったのだろうか。

いや、もう一カ所だけ。流し台の下にある扉はどうだろう。外から見るとわからないが、ここには、しばしば微妙な隙間がある。巨大な蜘蛛が潜り込めるようには見えないが、もし、ほんの少しでも開いていたなら。

純子は、扉に手をかけた。

「何するの？」

美香が、悲鳴を上げる。かまわず、純子は扉を開け放った。その瞬間、毒蜘蛛《どくぐも》が飛びかかってくることを覚悟しながら。

何もない。流しの下は、ただの薄暗い空間だった。たった一つの物体を除いては。

「それ……その中を見てください！」

純子が言うと、古溝が、流し台の下にかがみ込んで、手を伸ばす。

「やめて！」

美香が大股《おおまた》に入ってきて、飛びつこうとしたが、一瞬早く、古溝がその物体を取り出した。

ごきぶりホイホイ。

「それを返して！」

つかみかかる美香に背を向け、古溝が、すばやく中を覗《のぞ》き込んだ。一瞬、まるで活人画のように、三人とも動きを止める。

「どうぞ」

古溝は、急に興味を失ったように、ごきぶりホイホイを美香に渡した。

「……え？」

純子は、絶句した。

「何もいませんよ。ゴキブリ一匹さえも」

古溝は、純子に向かって苦笑する。

「ふざけないで！　いったい、何のつもりなの？　人のうちを、引っかき回すだけ引っかき回して！」

美香は、ごきぶりホイホイを投げ捨てて、かんかんになって怒鳴った。

これで、もうどこにも、巨大な毒蜘蛛が隠れられそうな場所は残っていない。

プランBは消えた。つまり、桑島美香が犯人である可能性は、ほとんどない。

だとすると、殺人者は……。

純子は、横目で古溝を見た。もしかすると、逃げ出したクロドクシボグモを見つけようと持ちかけたときから、こちらの真の目的を察知していたのだろうか。

「桑島さん。本当に、申し訳ありません」

純子は、深々と頭を下げた。美香は、無言である。

「ちょっと、お話ししたいことがあります」

「わたしは、別に、話なんかありません」

「ご主人のことなんです」

純子は、美香の耳元に口を寄せて囁《ささや》く。美香は、眉をひそめて、もの問いたげな視線を向けてきた。

これでよし。今度は、古溝に向かって言った。

「古溝さん。ちょっとの間、席を外してもらえませんか？　桑島さんと、二人きりで話した方がいいと思いますので」

「だけど、タランチュラの準備がまだ……」

「だいじょうぶです。わたしにまかせてください。ほんの二、三分でけっこうですので」

古溝は、むすっとした顔になったが、渋々という風情で退場する。

純子は、美香の方に向き直った。

「突然こんなことを中し上げて、驚かれると思いますが、ご主人が亡くなったのは、事故ではなかったと思うんです」

「事故じゃなかったら、何だっていうの?」

「わたしは、ご主人は、殺害されたと考えています」

美香は、食いつきそうな視線で純子を見た。

「どうやって?」

誰に、ではなく、どうやってと訊《き》かれたことに、純子は驚いた。

「犯人はまだわかりませんが、おそらく、この部屋のどこかに、毒蜘蛛を仕掛けたんだと思います」

「仕掛けた?」

「隣の方の証言で、ご主人は、毒蜘蛛に咬《か》まれる直前に、誰かと話をしていたことがわかりました。しかし、そのとき、部屋の中には、他に誰もいなかったはずです。おそらく、ご主人は、電話をしていたんだと思います」

「電話って、いったい、誰とですか？」

「犯人です」

純子は、美香の表情を窺《うかが》ったが、はっきりとした反応は読み取れない。

「犯人は、電話で、ご主人を誘導したんだと思います。仕掛けに触れざるを得なくなるような……」

「仕掛けって、いったい何のことですか？　主人は、蜘蛛に関してだけはエキスパートでしたから、何を言われようと、うっかり毒蜘蛛に触るようなことだけは考えられないんですけど」

「毒蜘蛛そのものなら、そうでしょう。でも、そのごく一部だけだとしたら、気づかなくても無理はないんじゃないでしょうか」

純子は、プランAの概要を説明した。

「……つまり、最低限、毒牙《どくが》と毒腺《どくせん》の部分があれば、用は足りるんです。蜘蛛の身体構造と解剖学の知識のある人間なら、クロドクシボグモを解体して、毒牙と毒腺の部分を使うことによって、触れた人間に毒牙が突き刺さって、反射的に毒が注入される仕掛けが作れるだろうということなんです」

美香は、絶句していた。恐怖かあるいは怒りの反応が噴出するかと思って、純子が注視していると、突然、乾いた声で笑い始める。

「馬鹿馬鹿しい。あなた、気はたしかですか？」

「信じられないかもしれませんけど、これは、真面目な話です」

純子は、少なからず気をそがれて言った。

「わかりました。で、そのバラバラにされた毒蜘蛛というのは、主人が飼っていた蜘蛛なんですか？」

「おそらく、そうだと思います。ご主人は、二匹のクロドクシボグモを入手されたことがわかっています。そのうちの一匹が、行方不明になってるんです。犯人は、何かの理由を付けて、ご主人から毒蜘蛛を借りて持ち帰り、罠《わな》を作った可能性があるんです」

「……なるほど。よく考えるもんだわ」

美香は、含み笑いを漏らした。

「だけど、その点は、わたしの方が、お詫《わ》びしないといけないかもしれませんね」

「は？」

純子は、呆気《あっけ》にとられた。

「行方不明になった二匹は、わたしが処分したんです。主人が亡くなる、二日前だったと思います。主人にあんまり腹の立つことがあったんで、あのスプレーをかけて殺してから、トイレに流したんです」

「でも……それは、なぜ、あの二匹だったんですか？」

「一匹は、キャメロンっていう、主人が一番可愛がっていた蜘蛛だからです。もう一匹の毒蜘蛛の方は、たまたま手近の水槽にいて、目についただけです。いくら醜い生き物とはいえ、八つ当たりで殺したのは可哀想《かわいそう》だったと思いますが、とにかく、あの蜘蛛を使って仕掛けを作るなんてことは、誰にも、金輪際、できませんでした」

「そうだったんですか。……でも、実を言うと、クロドクシボグモは、それ以外にもいたんです」

「あの変態男が飼っている蜘蛛ですか？　調べてみればわかるでしょうけど、おそらく、一匹も欠けてないと思いますよ。あの男に、自分の飼っている愛《いと》しい蜘蛛を殺せるはずがありません。人間ならともかく」

「……しかし」

「もう、こんな馬鹿な話に巻き込まれるのは、つくづくうんざりなんです。主人の死は、まちがいなく事故でした。これ以上、妙な話を持ちかけてくるようだったら、訴えますよ。弁護士という立場でありながら、法律のことで嘘をついて、わたしを脅迫したことも含めてですけど」

7

自分は幻影を見ていたのかと、純子は思う。ありもしない殺人の幻想を抱き、無意味に右往左往していただけなのだろうか。

しかし、と思う。榎本径は、どうなのだろう。あの男は、他人の妄想に巻き込まれて、自分もそれを信じ込んでしまうくらい、ナイーブな人間だろうか。

そんなはずはない。あの男は、夢想家ではなく、筋金入りの現実主義者だ。犯罪全般についても、悪い意味で造詣《ぞうけい》が深い。あの男が犯罪の臭いをかぎつけたのなら、おそらく、何か不正なことが行われたのだ。たとえ自分自身が信じられなくなっても、そのことは、自信を持って断言できる。

では、桑島雄司氏が何らかの方法によって殺害されたという前提で、整理してみよう。

プランAも、プランBも、今のところは否定的な感触しか得られていないが、それ以外の方法は発見できていない。

プランAは、毒蜘蛛《どくぐも》を解体し、毒牙と毒腺の部分を使って罠を作るというやり方だった。それが真相だったとすると、犯人は古溝俊樹だと思われる。いくら何でも、桑島美香に、そこまでできるとは思えない。

だが、桑島美香は、いなくなった方の毒蜘蛛は、自分が殺してトイレに流したと証言している。彼女には、古溝を庇《かば》って嘘をつく理由などないはずだ。もし共犯だったとしたら、そもそも、敵対を装って、こんな大騒ぎを演じる必要はなかっただろう。事件は、簡単に、闇から闇へと葬られていたはずだ。

とはいえ、古溝が、自分の飼っていたクロドクシボグモを使ったという可能性も、完全には否定しきれないのだが……。

一方、プランBは、プランAより実行が容易かもしれない。名うての蜘蛛マニアだった桑島雄司氏が、まんまと騙《だま》された上、病院へ行かなかった理由も説明できる。

この方法なら、二人とも可能だっただろうが、毒蜘蛛を殺して捨てたという嘘の証言をしている以上、桑島美香が犯人ということになる。

問題は、犯行に使われた毒蜘蛛が、そのまま野放しになった可能性があることだったが、この部屋をいくら調べても、発見できなかった。あれだけの大きさの蜘蛛が、どこかに消えてしまうはずがない。だとすると、犯行の後で、美香が回収に成功したのか、あるいは、プランBも、最初から考えすぎだったということなのか。

いずれにせよ、これで、殺人蜘蛛が、今もこの部屋の中をうろつき回っているという、最悪のシナリオだけは消去できたことになる。純子は、ほっと溜《た》め息をついた。

美香は、部屋の外で、どこかに電話をかけている。たぶん、もうすぐ戻ってくるだろう。電話の相手が、自分の弁護士だとすると、少々厄介なことになる。彼女に対し、結果的に虚偽の説明を行ったのは事実だから、所属弁護士会に対して、懲戒請求をかけられるかもしれない。

純子は、タランチュラの水槽が整然と並んでいるワイヤーシェルフに近づき、何気なく、上から二段目の棚に手をかけた。

指先に、奇妙な感触が伝わってきた。ざわざわと鳥肌が立つような思いに襲われる。

何だろう、これは。この軟らかく、ねばねばとした手触りは……。

実際のところ、純子には、すぐにその正体がわかった。だが、信じたくなかったのだ。

純子は、マネキンのように強張《こわば》った手を引っ込めると、まとわりついている蜘蛛の糸を、まじまじと見た。

部屋の中は、隅々まで掃除が行き届いている。ごく普通の蜘蛛が、たまたま巣を張っていたという可能性は、まずないだろう。それに、この糸の太さと量は、とても、その辺にいる蜘蛛のものとは思えない。

桑島雄司氏が飼っていた巨大な蜘蛛の一匹が、ワイヤーシェルフの上をうろつき回っていたのだ。当然、いなくなった二匹の蜘蛛のうち、どちらかだと考えるべきだろう。つまり、二匹を殺して捨てたという美香の話は、嘘だったと実証されたことになる。

では、それは、キャメロンというタランチュラか。

それとも、桑島雄司氏を死に至らしめた、クロドクシボグモなのか。

全身を、戦慄《せんりつ》が駆け抜けた。足が竦《すく》み、眩暈《めまい》に襲われた。部屋全体がぐるぐると回っているような気がする。

直感は、ここにいたのは、無害なタランチュラなどではなかったと告げていた。

正解は、やはりプフンBだったのだ。桑島氏を咬《か》んだ毒蜘蛛は、逃げ出して、ワイヤーシェルフの上に登ったのだろう。

……だとすれば、今も、すぐそばを徘徊《はいかい》しているのかもしれない。

あれだけ捜したのに、なぜ、見つからなかったのかは見当もつかない。しかし、今にも、部屋の中の見えない場所から、巨大な毒蜘蛛が、飛びかかってくるような気がした。

「どうしたんですか？」

背後から、古溝の声がした。

純子は、振り返った。

はたして、殺人者は、本当に桑島美香なのか。この男だという可能性はないのだろうか。

殺人蜘蛛が野放しになっていることがわかった以上、協力者として、この男ほど頼りになる人間はいないかもしれない。

しかし、万が一、古溝が犯人だったら、うかつに信用すれば命取りになる。美香が嘘をついてプランBを否定した以上、どう考えても、犯人は彼女なのだが……。

「青砥先生？　顔色が、真っ青ですよ？」

古溝は、曇ったレンズ越しに、蜘蛛の単眼のように感情のこもらない目を光らせながら、近づいてくる。

この男は、蜘蛛の化身だ。

間違いなく、前世には、池のそばで、丸い大きな網を張っていたのだろう。

……しかし、だからこそ、この男は、犯人ではないような気がする。

古溝には、たとえ人間は殺せたとしても、愛しい蜘蛛は殺せない。桑島美香の言葉は、その点では、きっと正鵠《せいこく》を射ていたのだ。

純子は、覚悟を決めた。

「古溝さん。もし糸が残っていれば、その蜘蛛がどこへ行ったか追跡できますか？」

「いいかげんにしてください。まだ何か、難癖を付ける気なんですか？」

美香は、居丈高に言ったが、その態度には、どことなく不安が窺《うかが》えた。

「もう、これ以上聞く気はありませんので、うちの顧問弁護士を通してもらえますか？　それから、あなたに対しては、懲戒請求というのをさせてもらいます。わたしを脅迫した上に、名誉を毀損《きそん》し、その上……」

「聞きたくないとおっしゃるのなら、それでも結構です。わたしは、警察に通報するだけですから」

純子が動じないのを見て、美香は、ますますいきり立った。

「通報？　何を言ってるんですか？　あなたは、いったい何の権利で……」

「桑島雄司さんを殺害したのは、あなたですね？」

美香は、話の接ぎ穂を失って、凍りついた。

「ちょっと待ってください。それ、本当の話ですか？　この女が、桑島を殺した？」

古溝が、横から割り込んでくる。美香が桑島氏を殺したと非難したものの、自分では、本気でそう信じていたわけではなかったらしい。

「ええ。この人には、それができた。そして、今のところ、他に殺人を実行できた人は、一人もいないんです」

「そんな、馬鹿馬鹿しい……だいたい、わたしにどうやって、主人を殺せたって言うんですか？」

美香は、歪《ゆが》んだ笑みを浮かべた。

「わたしには、アリバイがあるんですよ？」

「アリバイは、無効です。あなたは、ご主人が咬まれるように、この部屋の中に毒蜘蛛を仕掛けた。犯行時に、ここにいる必要はありませんでしたから」

「仕掛けたって、何のこと？　また、さっきの、くだらない与太話を蒸し返そうっていうんですか？　蜘蛛をバラバラにして、牙《きば》をどうしたとかいう」

「いいえ。もう少し確実な方法です」

純子のバッグの中で、携帯電話が唸《うな》り声を上げた。取り上げて見ると、榎本からだった。

純子は、電源を切る。ごめんなさい。いろいろ助けてもらったけど、今回は、もう出番はありません。

「当日のあなたの行動を、再現してみます。もし、違うところがあったら、おっしゃってください」

特に、異議は出なかった。

「あなたは、ご主人が帰宅後にここへやって来ることを見越して、昼頃、この部屋を訪れたはずです。昼間は、このアパートはほとんど無人になりますから、誰かに目撃されるというリスクは小さかったでしょうし、もし見られたと思えば、実行を延期すればいいだけのことですから」

美香は、ふてぶてしい笑みを浮かべて、聞いていた。

「部屋に入って、最初にあなたがしたことを、当ててみましょうか？　奥の戸棚を開け、標本箱からタランチュラの脱皮殻を取り出すことじゃなかったんですか？」

美香の顔色が変わった。だが、あいかわらず、無言である。

「あなたは、ある目的のために、抜け殻を利用しようとしたんです。でも、乾燥した蜘蛛《くも》の抜け殻は、ひどく脆《もろ》くなるという事実を知らなかった。そのために、不用意に抜け殻に触り、肢《あし》の部分を壊してしまったんでしょう」

「あっ。キャメロンのことか！」

古溝が、叫ぶ。

「そう。桑島さんが、最も可愛がっていたタランチュラの抜け殻です。ただし、そんなに脆くては、とても、あなたの目的には使えない。その時点で、計画を中止することもできたでしょうが、あなたは、あくまでも強行する道を選んだ。そして、抜け殻の代わりに、キャメロンそのものを使うことにしたんです」

「キャメロンそのものって……？」

古溝は、狐につままれたような顔になった。

「あなたは、用意した二酸化炭素のボンベを使い、キャメロンに麻酔をかけた。そして、キャメロンを取り出すと……」

「わたしは、あんな化け物に触ったりできません！」

我慢しきれなくなったように、美香が叫ぶ。

「本当に、そうでしょうか？　あなたは、ご主人からタランチュラの世話をさせられていました。いくら、元々は蜘蛛嫌いだったとしても、ある程度は慣れたんじゃないでしょうか？　まして、殺人という人生を賭《か》けた勝負なんです。手袋を嵌《は》めれば、我慢して触れるくらいのことはできたと思いますよ」

美香は、黙って、純子を睨《にら》みつけた。

「あなたは、キャメロンを取り出し、そして、殺した」

「やっぱり、そうだったのか！」

古溝が、激昂《げっこう》して、美香に詰め寄ろうとした。

「待ってください。最後まで聞いてほしいんです。古溝さんには辛《つら》い話でしょうけど」

純子が制すると、古溝は、拳《こぶし》を震わせたまま、その場に立ちつくした。純子は、再び、美香の方へと向き直る。

「キャメロンは、麻酔をかけられる直前に、危険を察知したのかもしれません。おそらくそのとき、刺激性の体毛を飛ばしたんでしょう。あなたの目は、泣き腫《は》らしたんじゃない。タランチュラの毛のアレルギーで、そうなったんです」

「チャコ・ジャイアント・ゴールデンストライプニーは、めったなことでは、毛を飛ばしたりしないのに……」

古溝は、呻《うめ》いた。

「よっぽど怖かったんだろう。可哀想に」

「あなたは、キャメロンを殺して、生皮を剝《は》いだ。というより、体組織をえぐり取ったという方が正確かもしれません。蜘蛛の身体は、とても軟らかいですから。ペティナイフを使って皮を薄く削《そ》いだか、もしかすると、スプーンのようなものでも事は足りたかもしれません」

「何だって……」

古溝は、顔面蒼白《そうはく》になった。美香は、純子を睨んだまま、彫像のように動かない。

「要するに、あなたは、生きたタランチュラで着ぐるみを作ったんですね。たぶん、針で空気穴も開けておいたんでしょう。次に、雌のクロドクシボグモも、同様に二酸化炭素で眠らせて、水槽から取り出した。そして、恐ろしい毒蜘蛛に、おとなしいタランチュラの着ぐるみを着せたんです。肢《あし》の付いている位置は異なっていたでしょうから、肢の部分は切り離して、別に穿《は》かせたのかもしれません。それから、得意の裁縫の技術を駆使して、裏側をきれいに縫い合わせた」

純子は、言葉を切って息を継いだ。喋《しゃべ》っている内容が異常なためだろうか、いつになく疲労を覚える。

「その晩、ご主人が来られたとき、部屋には他に誰もいませんでした。ご主人が話しかけていたのは、水槽の中にいるキャメロンです。いや、一見するとキャメロンにそっくりの、クロドクシボグモでした。ご主人は、いつものように、キャメロンをハンドリングしようとして、手をさしのべた……」

蜘蛛を偏愛する男は、退屈な会議を終え会社から帰宅すると、着替える暇も惜しんで、このアパートへ飛んできたのだろう。目に入れても痛くない巨大で美しいタランチュラを愛撫《あいぶ》しようとしたのだ。

だが、最愛のキャメロンは、すでに、薄っぺらい毛皮一枚になっていた。羊の皮を被《かぶ》った狼ならぬ、タランチュラの皮を着せられた世界最悪の毒蜘蛛は、呼吸が苦しくなった上、べたべたと身体に貼りつく気味の悪い生皮に、さぞ苛立《いらだ》っていたに違いない。電光石火の速度で、差し出された手の先端、中指の腹に毒牙《どくが》を埋めると、致命的な毒液をたっぷりと注入したのだ……。

「ご主人は、さぞ驚かれたことでしょうね。おとなしいはずのタランチュラに、いきなり咬《か》まれたと思ったのですから。しかし、まったくあり得ないという話でもない。ご主人は、怒りを抑えながら、応急処置だけをして、しばらく休息を取ることにした。というのも、以前にもタランチュラに咬まれた経験があり、たとえ病院へ行っても、消炎剤や鎮痛剤を投与されるくらいで、特効薬はないことをご存じだったからです」

「ちょっと待って！」

いきなり、美香が大声を上げた。

「さっきから、何を、馬鹿なことばかり言ってるの？　全部、あなたの妄想じゃない！　どこに、そんな証拠があるの？　それに、主人を殺したっていう、その、着ぐるみを着た毒蜘蛛ですか？　もし、本当に、そんなものがいたんなら、いったい、どこへ消えたっていうのよ？」

「それが、ずっと謎だったんです。……細い一本の糸に導かれるまでは」

純子は、奥の部屋に歩を移し、ワイヤーシェルフの一番下の段にある水槽を指さした。

「タランチュラは、こういう簡単な撥ね蓋なら、開けてしまうことがあるそうですね？　獲物に忍び寄って狩りをするクロドクシボグモにも、おそらく、同等以上の智能があるんじゃないでしょうか」

「もう、我慢できん。見させてくれ！」

古溝が、コオロギの水槽に飛びつくようにして、上を覆っている蓋《ふた》全体を取り外した。

「キャメロンの着ぐるみを着せられたクロドクシボグモは、咬まれたご主人が、あわてて手を引っ込めた拍子に、水槽の外に放り出されたんです。そして、獲物を探してワイヤーシェルフの上を徘徊《はいかい》しているときに、この撥ね蓋を開け、自分で中に入ったんでしょう」

水槽の中では、数十匹のまるまると太ったコオロギが、触角を震わせている。

「クロドクシボグモは、隠れ場所を求め、そこにある大きな流木の下に潜り込んだんです。床すれすれの高さから見ると、肢の先端が確認できました。毛深く縞模様《しまもよう》のあるチャコ・ジャイアント・ゴールデンストライプニーの肢が破れ、無地の灰色の肢が覗《のぞ》いているのが……」

古溝が、震える手で、中央に置かれた大きな流木をひっくり返した。かすかな腐臭が、鼻をつく。

純子は、思わず目をそむけた。

「ふだんなら、コオロギは、蜘蛛の餌になるはずなのに……。きっと、着ぐるみを着せられていたんで、動きが不自由だったんでしょうね」

古溝が、怒りの声を上げた。

「タランチュラは、かなり長期間の絶食にも耐えるが、フタホシコオロギを見たときに、不思議だった。十日も餌を与えられずに放置されていたのに、なぜ、あれほどまるまると太って元気そうだったのか。これで、ようやく謎が解けた。コオロギというのは悪食で、タランチュラが弱っているときなど、逆に食べることもあるからな……」

流木の下から顕《あらわ》れたのは、身体をぼろぼろに喰《く》い荒らされた大きな毒蜘蛛の死骸《しがい》だった。

死骸は、ほつれた糸の付いた、さらに巨大な蜘蛛の毛皮を、まるでマントのように背負っていた。

盤端の迷宮

1

ニューばんたんホテル新宿《しんじゅく》は、丸ノ内線の新宿御苑前駅《ぎょえんまええき》から地上に出ると、徒歩二分ほどの場所にあった。新宿界隈《かいわい》としては、日中でも比較的静かな場所だったが、今日は赤色灯をともしたパトカーが二台も横付けになっており、忙しく出入りする警官や野次馬で騒然とした雰囲気である。

榎本径《えのもとけい》は、玄関脇で立ち番をしている警官に来意を告げ、七階建てのホテルの中に入ると、商売道具の入った鞄《かばん》を持って一階からエレベーターに乗り、二階のフロントは素通りして、六階で降りる。

黄色い立ち入り禁止のテープをくぐると、狭い廊下の両側には十ほどの客室が並んでいた。604号室の入り口だけが開いており、薄暗い廊下の絨毯《じゅうたん》と壁に光を落としている。

「毎度。鍵屋《かぎや》です」

榎本がそう言って中に入ろうとすると、部屋の真ん中に立っていた男が振り向いた。警視庁捜査一課のハゲコウこと鴻野《こうの》光男《みつお》警部補だ。ほかに数人の鑑識課員が、アルミの粉を振りかけて、指紋の検出などの作業を行っている。

ハゲコウは、妙に弛《たる》んで見える体つきだったが、身長は190㎝をゆうに超えており、膂力《りょりょく》は抜群だった。目つきは陰険で、頭髪は薄く、態度は横柄そのものである。渾名《あだな》の通り動物の死骸《しがい》でも漁《あさ》っているのではないかと思うくらい口臭がひどい。

「そこ、踏むんじゃねえぞ」

客室の入り口付近の絨毯には、死体と思われる形がテープでかたどられていた。大量のワインをこぼしたような暗い染みは、血の痕《あと》に違いない。榎本は、一瞬ぎょっとしたものの、慎重にまたぎ越えた。

「遅《おせ》えぞ」

ハゲコウは、ドスのきいた声で唸《うな》った。

「遅いわけないだろう。いきなり呼び出されて、これでも、すぐに来たんだ」

榎本が経営する防犯用品の専門店『F&Fセキュリティ・ショップ』は定休日だったので、着の身着のまま、ジーンズにセーターという軽装である。

「ふん。その入り口のドアだ」

「ちょっとは、感謝の言葉でも……」

「うるせえ。そのドアだ。さっさと仕事にかかれ」

ハゲコウは、白手袋をしたグローブのような手を苛立《いらだ》たしげに振って、榎本を遮る。

「さっさとって、まだ、何の説明も受けてないぞ」

「だから、そのドアのチェーンだ！　電話で言っただろうが？」

榎本は、振り返ってドアを一瞥《いちべつ》した。一見、何の変哲もないホテルの客室ドアだったが、よく見ると無垢《むく》の一枚板のようだ。鍵は古いタイプのピンシリンダー錠で、これも古典的なドアチェーンが付いている。チェーンは、ほぼ中央で真っ二つに切断されており、ドア枠にあるチェーン金具と、ドアに取り付けられた受け座から、二本になって垂れ下がっていた。

「見事な切り口だ。プロの手口に間違いない」

「てめえ、舐《な》めてんのか？　切ったのは、警察だ」

「なるほど。さすがに公費だけあって、いいボルト・カッターを使ってるようだ」

ハゲコウの顔色が、七面鳥のように赤黒く変わった。これ以上からかうのは、やめた方が無難だろう。榎本は、作業用の薄いゴム手袋を嵌《は》めて、受け金に入ったままのドアチェーンの分銅を外した。鞄から出した針金で、切断された鎖をつなぎ合わせる。さらに、メジャーで測って、切断前と鎖の長さが変わらないように微調整を行った。

いったんドアを閉じて、ドアチェーンをかける。それから、そっとドアを手前に引くと、10㎝ほど開いて、ちょうど死体をかたどったテープの位置で止まった。

榎本の頭に、遺体が発見されたときの状況が浮かんだ。おそらくは、ホテルマンが、部屋で何らかの異変があったことを察知して、合い鍵でドアを開けたのだろう。ドアは、遺体にぶつかって押しのけかけたが、チェーンが伸びきったところで止まる。おそらくは、絨毯の血痕《けっこん》も目に入ったはずだ。ホテルマンは、あわてて警察を呼び、駆けつけた所轄署の警察官が、チェーンを切断したのだ。

「被害者は、刺殺されたのか？」

ハゲコウは、じろりとこちらを見た。

「そうだ。まあ、それだけ血痕が残ってりゃ、誰でも想像が付くだろうな」

だとすると、ドアにチェーンがかかっていたのは、なぜだろうと思う。

「要するに、警察では、犯人が、チェーンをかけてから逃走したと見てるわけだな？」

榎本が反対に質問すると、ハゲコウは、喉《のど》の奥で低い唸り声を立てた。猫なら機嫌のいい印だが、ハゲコウの場合は、逆である。

「そうだ。おまえに訊《き》きたいのは、このドアで、外からチェーンをかけるのが可能かどうかだ」

「微妙だな。普通のドアなら、もちろん可能なんだが」

榎本は、ドアを一瞥して言う。

「ドアチェーンは、一般に外からは外せないと信じられてるが、ゴム紐《ひも》と画鋲《がびょう》を使えば、実は簡単に外せるんだ。当然、外からかけることもできる。むしろ、その方が面倒なんだが、サムターン回しのような道具か、薄いL字形の金属板が一枚あれば、それほど手間がかかるわけじゃない」

「ふん。やっぱりそうか。その手口を、詳しく教えろ」

「……だが、このドアの場合、どちらの方法も使われた形跡がない。サムターン回しを入れるには、穴か開口部が必要だし、L字の金属板を使うやり方は、チェーンの受け金が縦に取り付けられている場合しか機能しない。このドアのチェーンの受け金は、正しく横に取り付けられているからな」

「ん？　だったら、ドアを傷つけずに、外からチェーンはかけられねえということか？」

「そうとは断定できない。このチェーンをかけるためだけに、わざわざ、特殊な器具を自作すれば、可能かもしれない。あるいは、受け金をいったんドアから取り外して、瞬間接着剤で貼り付けたのかもしれない。だが、そんな方法を探ったところで、時間の無駄だと思うね」

「この野郎。誰がおまえに、そんな意見を……なぜ、そう思うんだ？」

ハゲコウは、いったん切れかけたが、自制して訊《たず》ねる。

「そもそも、犯人がチェーンをかけたとしたら、何のためだ？」

榎本は、再び反問した。

「まあ、発見を遅らせるためだろうな」

もちろん、まさか、密室を作るためではないだろう。榎本は、部屋の奥にある窓を見た。内側から、ハンドルで固定されているし、全開にしても、人が抜け出るのは難しそうだ。

「……しかし、ドアは、施錠されてたんだろう？」

「ああ」

オートロックではないため、犯人が、立ち去る前に、わざわざ鍵をかけたということになる。

「鍵は、犯人が持ち去ったのか？」

「おそらく、そうだ」

「だったら、それで充分じゃないか？　どうして、チェーンまでかける必要があるんだ」

ハゲコウは、また唸った。

「どっちみち、ドアを開けられたら、中に死体があるのは一目瞭然《いちもくりょうぜん》だ。嫌がらせみたいにチェーンをかけて死体に近づくのを遅らせることに、いったい何の意味がある？　それに、ホテルの廊下なんて、いつ誰が通るかわからない。施錠ならともかく、外からチェーンをかけようとごちゃごちゃやってるところを目撃されたら、それだけで致命的だ」

「おい。てめえだけが賢いつもりか？」

ハゲコウは、もはや、爆発寸前だった。

「今偉そうに言ったことくらいは、最初《はな》からわかってんだよ！　だがなあ、だったら、いったい何でチェーンがかかってたんだ？　てめえには説明ができんのか？」

「現実に起きたことなら、理由は、きちんと説明がつくはずだ」

榎本は、しかつめらしく言う。

「おい。どういうことだ？　もっと詳しく、状況を知りたいとでも言うのか？　だがな、一般人に、これ以上、事件の内容は教えられんぞ」

ハゲコウは、狡《ずる》そうな笑みを浮かべた。

「誰も、そんなことけ、頼んでない。さて、他に用がなければ、俺はこれで失礼する」

榎本は、床に置いていた鞄《かばん》を持ち上げた。

「勘違いするなよ。おまえを呼んだのは、あくまでも、ドアに外側からチェーンをかける手口を聞くためだ。泥棒が、わざわざそういうことをするとしたら、なぜなのかも含めてな」

「そんな酔狂な泥棒はいないと、答えておこう。じゃあ、これで」

きびすを返しかけた榎本の二の腕を、ハゲコウは、万力のような力で摑《つか》んだ。

「待てよ」

「あと5g力を入れたら、特別公務員暴行陵虐罪《りようぎやくざい》で告訴するぞ」

ハゲコウは、ますます気味の悪い笑顔になった。

「まあ、そうとんがるな。せっかく来たんだから、もうちょっとゆっくりしていけや」

榎本は、溜《た》め息をついた。


「……被害者は、竹脇伸平《たけわきしんぺい》さん、二十八歳。職業は、日本将棋連盟の棋士だ」

ハゲコウは、手帳を読み上げる。榎本は、驚いて顔を上げた。

「将棋の棋士か?……待てよ。竹脇五段だったら、知ってるぞ」

「何だと?　知り合いか?」

ハゲコウは、色めき立つ。

「いや、そうじゃない。前期のNHK杯戦にも出場してたし、CSの囲碁将棋チャンネルでは講座をやってた。銀河戦でも、あと一歩で本戦トーナメントに出るところだったしな」

「ふん。紛らわしいことを言うんじゃねえ。しかし、前からオタクだとは思ってたが、おまえが将棋オタクとは知らなかったがな」

「亡くなったのか。残念だな。闘志溢《あふ》れる棋風で人気があったし、先輩棋士に対しても堂々とものを言う、将棋界の改革派だったんだが。……それにしても、あまりにも寂しい最期だ。同じ棋士でも、まさに天王山と盤端の違いだな」

「何のことだ?」

「今、ちょうど、竜王戦をやってるだろう? 今朝、BSの中継を見てたんだが、一時期、竹脇五段のライバルと言われていた毒島《ぶすじま》竜王は、新潟県の『龍《りゅう》の栖《すみか》』という超高級旅館で対局中だ。このホテルをどうこう言うつもりはないが、一方が檜舞台《ひのきぶたい》でフラッシュを浴びてる最中に、もう一方は、都会の片隅で、誰にも知られずに刺殺されてるんだからな」

竜王戦七番勝負は、将棋界で最高のタイトル戦であり、毎年、十月から十二月にかけて行われる。若き竜王、毒島薫《かおる》が四連覇をかけて、最強の挑戦者である鬼《き》藤正光《とうまさみつ》棋聖と相まみえる挑戦手合いは、昨日から開幕したばかりだった。

「しかたがねえだろう。力が違うんだから」

「若手プロ同士なら、将棋の実力差は紙一重だ。竹脇五段も、何度か、毒島竜王を破ったことはあるからな。あとは、運なのか、生まれつきの才能か、勉強量なのかわからんが、ほんのわずかの違いが明暗を分けるんだ」

「ほーう」

「つくづく、厳しい世界だと思うよ。制度自体が、完全なゼロサム・ゲームなんだ。限りなく微妙な棋力の差が、年収では十倍以上の開きになる。トップ棋士になれば金も名誉も獲得できるが、下位に低迷していると、やがては、プロ棋士としての地位すら危うくなる」

「ふん。誰だって、仕事で失敗し続けたら、足下が危うくなるだろうが」

「それにしても、どうして、専門局の囲碁将棋チャンネルが、タイトル戦を中継しないんだろう？　BSも、昔はもっときめ細かく中継してたのに、今は、朝九時から一時間やると、次は午後四時とか五時なんだ。ファンとしては、一日中、あの雰囲気に浸っていたいんだがなあ。かりに、放映権料がネックになってるんだとしたら……」

「おい、いいかげんにしろ。将棋の話はもういい。それより死因だが、背後からの刺殺だ。遺体はドアの方に頭を向けていたが、背中を刺されて倒れた後、床の上を少し這《は》ったような跡があったから、しばらくは意識があって、助けを呼ぼうとしたのかもしれない。凶器は、古いふぐ引き包丁だ。ふぐ刺しやヒラメの薄造りに使う薄刃の包丁で、刃渡りは33㎝もある。念を入れて、きわめて鋭利に研ぎ澄ませてあった。しかし、あまりにも古すぎて、凶器から犯人をたぐるのは無理だろうな」

「……あれは、将棋のマグネット盤だな」

榎本は、窓際にある小さな机の上に目を留めた。

「そうだ。別に、何の不思議もないだろうが？　被害者は、将棋指しなんだから」

ハゲコウは、苛立《いらだ》ったように言う。

「ちょっと、見てもいいか」

榎本は、窓際に歩み寄った。狭い机の上に残されていたのは、どこにでもある携帯用のマグネット将棋盤と、飲みかけのコーヒーカップ。棋書、それに週刊将棋という新聞だけだった。将棋盤には、途中の局面が残されている。

「おい！　触るなよ。そこの指紋は、一応、採取した後だが」

「……うん？　これは、今言った竜王戦の局面じゃないか。この端桂だけは、ちょっと妙な感じだが」

「遺留品は、そこにある物以外には、小さなボストンバッグが一個だ。入ってたのは、着替えと財布だけだった」

「財布の中身は？」

「小銭以外は空だった。物盗りの犯行という線も捨てられねえが、偽装ということも考えられるし、最近の犯人は、行きがけの駄賃というか、物盗《ものと》り目的じゃなくても、一応、金だけは攫《さら》ってくやつが多いからな」

拾える物は拾っておこうというのは、ほとんど将棋の発想だ。今では、現実世界の方が、ゲーム的な損得勘定だけで動くようになっているのかもしれない。

そのとき、入り口に、きちんとスーツを着た三十代くらいの男性が現れた。名札を付けているので、ホテルの従業員だろう。ハゲコウと、何やら小声で会話を交わす。

「ちょっと、待ってろや」

ハゲコウは、榎本にそう言うなり、部屋を出て行った。ホテルの従業員も、後に続こうとしたが、榎本と視線が合ったために、立ち止まって目礼する。

「失礼ですが、第一発見者の方ですか？」

榎本がそう言うと、うなずく。当たりだ。

「フロント・マネージャーの新井《あらい》と申します」

「すでに、何度も事情聴取を受けられていると思いますが、遺体を発見されたときのことを、もう一度、簡単に教えていただけますか？」

「はあ……それは、もう」

新井氏は、榎本を、警察関係者と信じて疑っていないようだ。

「竹脇様がチェックインされたのは、午後二時頃でした。その直後に一度、二時半過ぎにもう一度、竹脇様宛てにお電話があり、お部屋におつなぎしたんですが、二度目は応答がないということなので、私が見に参りました」

「電話は、誰からだったんですか？」

ころなんですが」

「両方とも、くるす様という女性の方です。今、ちょうど、フロントへお見えになったと

ハゲコウは、その女性を聴取しに行ったらしい。

「それで、どうしました?」

「お部屋をノックしても、応答がありません。それで、マスターキーでドアを開けますと、チェーンがかかっておりまして、隙間から、竹脇様が倒れているのが見えました。それで、すぐ、一一〇番させてもらったんですが」

「まだ息があったという可能性は、ありませんでしたか?」

「それが……絨毯《じゅうたん》がすっかり血で染まっておりまして、ドアの隙間から覗《のぞ》きますと、背中に包丁が突き立っているのも見えたものですから」


新井氏は、ハンカチを出して、額の汗を拭《ぬぐ》う。

「以前に、客室に泥棒が入ったことがありまして、そのときに、必ず現場を保存するように、きつくご注意を受けました。それで、とにかく、まず通報をと思いまして。それに、お恥ずかしい話ですが、チェーンを切るための道具も、どこにあるのか見つからないような状態でしたので」

「ドアを蹴破《けやぶ》ろうとは思いませんでしたか?」

「はあ……ですが、ご遺体が、ドアのすぐ向こうにありましたので、ちょっとそれは」

「なるほど。それでは、最初にドアを押し開けたときには、遺体にぶつからず、スムーズ

に開きましたか？」

「はい。ですが、きょとんとした顔をした。

新井氏は、チェーンがかかっていたので、それ以上は開きませんでした」

「わかりました。ありがとうございました」

新井氏と入れ違いに、ハゲコウが戻ってきた。ショートカットで黒っぽいパンツスーツ姿の、若い女性を伴っている。

彼女の顔を見て、榎本は、はっとした。青ざめているが、凛《りん》として透明感のある美しさは、見間違いようもない。将棋界のアイドル、来栖奈穂子《くるすなほこ》前女流名人だ。

「面通しは、辛《つら》かったでしょう。だいじょうぶですか？」

あのハゲコウですら、気遣うような態度を取っている。

「はい、だいじょうぶです。わたしは……」

奈穂子は、気丈に答えようとしたが、絨毯の上の血痕《けっこん》と人形《ひとがた》のテープが目に入ったらしく、顔をそむける。

「そこは、踏まないように。こっちへどうぞ」

ハゲコウが、奈穂子を窓際に連れて行った。机の上に、ボストンバッグから財布と下着類を出して、並べる。

「この中に、見覚えのある竹脇さんの持ち物はありますか？」

奈穂子は、うなずいて、マグネット盤を指す。

「伸平さんが、いつも研究に使ってたものです」

奈穂子が、駒を一枚取り上げると、ハゲコウは、今までに聞いたことがないくらい優しい声で、「手を触れないでください」と注意する。

「あ。ごめんなさい」

奈穂子は、あわてたように、駒を机の上に置いた。

「はっきりとはわかりませんが、ほかのものも、全部、伸平さんのだと思います」

「では、何か、無くなっている物はありませんか？」

奈穂子は、対局中のように、人差し指を顎《あご》にやって考える。

「……特に、思いつきません。対局で上京するときは、いつも、あんまり荷物は持ってきませんでしたから」

「竹脇五段は、携帯電話は、お持ちじゃなかったんですか？」

榎本が、口を挟む。奈穂子は、後ろから声をかけられて、びくっとしたようだった。

「……ええ。ケータイを持たない棋士は、けっこう多いんです。集中力の妨げになるっていうのと、個人情報が入ってて、落としたときに痛すぎるから……棋士って、常に、最悪を考える癖がありますから」

「パソコンも？」

「伸平さんは、昔から、あんまり機械は好きじゃなかったんです。今の若手棋士には珍しいですけど、研究するときも、必ず手で駒を持たないと、頭に入らないって」

「なるほど」

　榎本は、うなずいた。

「ところで、この盤面なんですが……」

　マグネット盤を指さしたとき、榎本が勝手に質問をするのに業を煮やしたらしく、ハゲコウが割り込んできた。

「おい。趣味の話は、後にしとけ。……来栖さん。竹脇さんは、明日《あした》対局があるために、兵庫県から上京されたんですね？」

「はい」

「それで、午後二時にチェックインしたと。あなたが電話をかけたのは、午後二時過ぎと、二時半の二回ですね？」

「そうです」

「電話は、どこからかけられたんですか？」

「わたしのアパートから……中野区の沼袋《ぬまぶくろ》なんですけど」

「失礼ですが、お二人のご関係は？　かなり親しかったというふうに、お見受けしますが？」

　奈穂子は、大きく息を吐いた。

「わたしたち、付き合ってました」

「恋人同士ですか。将棋の世界では、そういうカップルは多いんですか？」

「珍しくないと思います。職場恋愛みたいなものですから。結婚されている先輩方も多いですし」

「そうですか。それなら、竹脇さんの交友関係についても、よくご存じだろうと思いますが、誰か、竹脇さんを恨んでいたような人物に、心当たりはありませんか?」

奈穂子は、あきらかな逡巡《しゅんじゅん》を見せた。

「言いにくいとは思いますが、単なる参考ですから。……現場の状況を見ると、どうも、顔見知りの犯行のように思われます。竹脇さんは、犯人を部屋に請《しょう》じ入れ、背中を向けているわけですからね。ここで名前を出したからといって、後でその人に迷惑がかかるということはありません。ただ、もし思いついた人がいれば、教えていただきたいんです」

横柄な口しか利けないと思っていたが、ハゲコウも、事情聴取の際には、きちんとした言葉遣いができるらしい。

「わたしが言ったということは、秘密にしていただけますか?」

奈穂子は、うつむいて、小さな声で言う。

「もちろんです。捜査には、どんな情報も助けになるんです。竹脇さんのご無念をはらすためにも、どうか、ご協力ください」

奈穂子は、ためらいつつも、三人の名前を挙げた。

来栖奈穂子が退出すると、ハゲコウは、嫌な目で榎本を見た。

「おまえたちの目から見て、このホテルはどうだ？」

「その、おまえたちというのが、どういう人種を指しているかによるな」

「おいおい。今さら、下らん煙幕はいらんだろう？」

ハゲコウは、榎本の背中をどやしつけた。息が止まるかと思うほど痛い。特別公務員暴行陵虐罪と、心の中で三回唱える。

「一般的な泥棒の目から見たら、このホテルはどうかと訊《き》いてるんだ」

「これは、あくまでも泥棒の身になっての想像だが、客室荒らしには最適だろうな」

「やっぱりそうか。どのへんがいい？」

「まず、監視カメラがほとんどない。通常、ホテルの監視カメラは、抑止効果を上げるために、見えやすい場所に設置されている。このホテルでは、ここまで上がってくる間に、一台も見えなかった」

「今回も、それがネックだ。実際に監視カメラがあったのは、フロントと地下駐車場だけだからな。最近は、どいつもこいつも、儲《もう》けに直接つながらないコストは、とことんケチりやがる」

「いや、ケチってるわけではないと思う」

「どういうことだ？」

「このホテルの構造そのものが、特殊なんだ。一階からエレベーターに乗れば、フロントの前を通らずに、客室まで行けるようになっている」

「ふん。そういうことか」

すぐにぴんと来たらしく、ハゲコウは、うなずいた。

「ビジネスホテルも、最近は競争が激しいからな。ここは、いったん潰《つぶ》れてから、兵庫県にある播但《ばんたん》ホテル・チェーンが買収したらしいんだが、出張で上京したときに、ホテトル嬢をフリーパスで呼べるというのは、秘《ひそ》かな売りになるだろうな。できれば、監視カメラなんていう無粋な代物は、付けたくないわけだ。……錠回りはどうだ？」

「古いピンシリンダー錠だから、二、三回泊まって鍵《かぎ》の型を取れば、簡単にマスターキーが作れる。そこまでやらなくても、ピッキングでも一分以内で開けられるし、鍵のタイプさえわかれば、最近は、瞬時に解錠できるバンピングという方法もあるからな」

榎本は、言いながら、ふと疑問を感じた。

「亡くなった竹脇五段は、ここを定宿にしてたのか？」

「それは、まだ確認してないが、おかしくはないだろう。将棋指しでも、シティ・ホテルに泊まれるくらい収入のあるやつは、何人もいないんだろう？」

「ビジネスホテルに泊まること自体は、普通だと思う。ただ、対局は千駄《せんだ》ヶ谷《がや》の将棋会館で行われるはずだ。どうして、もっと近くに泊まらなかったのかな？」

「決まってるだろうが？　ええ？　あんな可愛《かわい》い子を連れ込み放題なんだぞ」

ハゲコウは、吐き気がするくらい淫蕩《いんとう》な表情を浮かべた。

「それから、さっきの来栖さんがかけたという電話だが」

榎本は、無視して続ける。

「二時過ぎと二時半にあった電話が、彼女本人からというのは、たしかなのか?」

ハゲコウは、眉《まゆ》を上げた。

「さっきフロントに訊いたところでは、電話は、両方とも、たしかに彼女の声だったということだ」

少しハスキーな、特徴のある声なので、憶《おぼ》えていたとしてもおかしくはない。

「発信元は?」

「あの子を疑ってるのか? まあ、それはすぐに確認できるが」

「そうか。俺は、ちょっと出てくる」

「どこへ行くんだ? まだ、チェーンの一件が片付いてないぞ」

ハゲコウが、ハイエナのように歯を剝《む》き出した。

「それを調査に行くんだ」

今度は摑《つか》まれないように、榎本は、すばやく部屋を飛び出した。

俺は、いったい何のために、この一件に首を突っ込もうとしてるんだ。榎本は自問した。

一円の儲けにもならないのは、目に見えているのに。

もちろん、ハゲコウに貸しを作るためでもなかった。来栖奈穂子をどうこうしようというつもりはなかったが、昔から、手の届きそうにない女性にほど惹《ひ》かれるという性癖だけは、どうしようもない。特に、知的で勝ち気な女性に対しては、つい自分の能力を見せつけたいという虚栄心に駆られてしまうのは、もはや宿痾《しゅくあ》と言うべきかもしれない。

ほんの二、三分遅れなので、捕まえられると思ったのだが、一階で降り、外に出ても、奈穂子の姿はどこにも見えなかった。しまったと思う。ハゲコウと、立ち話などしている場合ではなかった。

これでは、調査をしようにも、何の伝手《つて》もない。多少でも、将棋に関係がある知り合いといえば、真剣師崩れなどの怪しげな連中しか思いつかなかった。

もう一度六階に戻って、ハゲコウに助力を要請しようかと思ったとき、エレベーターの扉が開き、来栖奈穂子が出てきた。目の周りに、かすかに泣いたような跡があった。そうか、化粧室へ行っていたのだと、ようやく気がつく。

「来栖さん」

榎本が声をかけると、奈穂子は、はっとして顔を上げた。

「ああ……さっきの刑事さん」

よっぽど、彼女の誤解を利用しようかとも思ったが、あとでバレたときに信用を失うのはまずい。

「実は、私は、警察官ではないんです」

「はあ」

奈穂子は、狐につままれたような顔をした。

「何というか、非常に警察とは関連の深い職種ではあるんですが」

少なくとも、嘘は言っていない。

「それで、竹脇五段の事件では、ハゲ……鴻野警部補から、捜査の内命を受けています。ご協力いただけないでしょうか？」

「ええ。それは、もちろん」

憔悴《しょうすい》しきっていた奈穂子の瞳《ひとみ》に、意志的な強い光が戻ってきたようだった。

2

「来栖さんも、竹脇五段も、同じ頭山《とうやま》一門でしたよね」

榎本は、コーヒーに砂糖を一杯だけ入れて、かき混ぜながら言った。いつもはブラック党なのだが、喫茶店によっては、砂糖がなければ飲めないこともある。

「そうです。どうして……？　そこまで調べられたんですか？」

奈穂子は、ミルクティーを口元に運ぶ手を止めて、目を丸くした。

「私も、実は、年季の入った将棋ファンです。頭山金之助《きんのすけ》九段と言えば、かつて、故・原《はら》口金造《ぐちきんぞう》八段、野尻金吾《のじりきんご》七段と合わせて、昭和の三金と称されていましたからね」

「よく、そんな古いことまで、ご存じですね？　それに、三人とも、そんなにメジャーな棋士じゃないのに……」

語尾が、徐々に小さくなっていく。奈穂子は、少し怪訝《けげん》な表情だった。榎本は、まだ三十代の半ばだし、外見はもっと若く見えるからだろう。

「まあ、リアルタイムで知ってたわけじゃないですが。私は、古い棋譜を並べたりするのが趣味なんですよ」

「そうなんですか？　そんな方は、将棋ファンでも、本当に珍しいと思います」

「別に、フィリップ・マーロウを気取ってるわけじゃないんですがね」

「フィリップ？　誰ですか？」

「いや、たいしたことではありません。それで、来栖さんは、同じ一門ということで、竹脇五段と親しくなられたんですか？」

奈穂子は、少し考える顔になった。

「一門は、そんなに関係ないと思います。でも、有馬泉《ありまいずみ》八段が……伸平さんの師匠なんですが、よく、わたしを研究会に呼んでくれたりして。だから、研究会で、自然に話をするようになったのかな」

「なるほど。ともに研鑽《けんさん》を積んだ仲だったんですね」

「わたしは……強くなりたかったんです」

奈穂子は、ティーカップを置いた。こちらを見据える眼光は、榎本がたじろぐほど鋭い。

「世間には、女は、肉体競技だけじゃなく、頭脳競技でも男に敵《かな》わないと言う人がいますよね。でも、そんな人たちを、あっと言わせてやりたかったんです。史上初めて、奨励会の三段リーグを、実力で突破することで……」

将棋の棋士になるには、奨励会という育成機関に入会し、最終的には、難関の三段リーグを抜けて四段にならなければならない。現在、女流棋士は数多く存在するが、正式の棋士である四段になった女性は、まだ一人もいないのだ。

「そのために、せっかく獲得した女流名人の肩書きも、捨てたわけですよね？」

「ええ。少し以前のことですが、奨励会への在籍と女流棋士との両立は、認められなくなりました。それで、わたしは、男性と対等な棋士になる夢に賭《か》けようと思ったんです」

「その甲斐《かい》あって、今期の三段リーグでは、好成績を維持されてますよね」

「おかげさまで。昨期までは、男性と戦うと、どうしても終盤で競り負けることが多かったんですが、今期は、何とか残せるようになったのが大きいと思います。でも、これからが正念場ですから。年齢制限もありますし……」

ようやく、彼女の態度も、少しほぐれてきたようだ。榎本は、本題に入ることにした。

「さきほど、あなたが名前を挙げられた三人のことなんですが、もうちょっと、詳しいことを伺ってもいいですか？」

「はい」

奈穂子の表情は、一転して、対局中を思わせる厳しいものになる。

「まず、中野《なかの》秀哉《しゅうや》四段ですね。若手の有望株ですし、この人の名前が出たのには、ちょっと驚いたんですが」

「もちろん、中野君が伸平さんを殺したなんて、ありえません。けっして、そんなつもりで言ったんじゃないんです」

奈穂子は、弁解するような、抗議するような口調になった。

「ただ、恨み……というか、感情のもつれはありましたから、警察で調べられたとき、どうせ名前が出てくると思ったんです。それだったら、変に隠さず、早く容疑から除外してもらった方がいいかと思ったもんですから」

「何があったんですか？」

「わたしの口からは、ちょっと言いにくいんですけど」

奈穂子は、うつむいて紅茶を口に運び、唇を湿した。

「前は、伸平さんと中野君は、親友と言ってもいい間柄でした。でも、わたしと伸平さんが付き合うようになってからは……」

「つまり、中野四段は、あなたに好意を寄せていたんですね？」

「ええ。たぶん、そうだと思います」

「あなたの方は、どうだったんですか？」

「伸平さんと付き合う前は、よく、中野君と一緒に遊んでました。でも、彼は年下だし、弟みたいな意識だったんですけど」

三角関係というのは強力な動機となりうるだろうと、榎本は思った。ましてや、将棋界のアイドルを巡ってであれば。

「あと、これは警察では動機と見なされると思うから先に言いますが、明日《あした》のC級1組順位戦では、二人が対局することになっていました」

「つまり、中野四段は、不戦勝になるということですか？」

「亡くなった場合の規定はよくわかりませんが、たぶん、そうなると思います。……でも、それより、伸平さんは今期絶好調で、ここまで全勝だったんです。中野君は一敗で、二番手を維持していました。伸平さんがいなくなると、中野君が昇級候補の一番手になるんです」

「なるほど……」

それで、即昇級できるわけではないのだから、どの程度の動機になるのかは、部外者には窺《うかが》い知れない部分がある。

「わかりました。次に、谷二郎《たにじろう》八段なんですが」

「谷先生は、伸平さんに対して、たいへん立腹されていました。将棋雑誌のコラムで、伸平さんが、名指しで批判したのが、きっかけなんです。伸平さんは……棋界を改革しようという思いが強かったからなんですけど、しばしば先輩棋士と軋轢《あつれき》を起こしていました」

「批判の内容は、どういうものだったんですか？」

「谷先生は、名人位への挑戦経験もある大物棋士なんですが、B級2組から陥落が決定した後、こちらも降級の可能性があった弟子の大路《おおじ》六段と対戦したんです。そのとき、谷先生が、あきらかに無気力な指し回しで勝ちを譲ったというものでした」

「わざと負けたと？」

「そこまでは。でも、あえて不利とわかっている定跡を選択するなど、勝つ気がなかったとしか思えないって、相当辛辣《しんらつ》な調子で書かれてました。谷先生は、謝罪と取り消しを要求したんですが、伸平さんは、将棋指し同士なら盤上で決着を付けようと言ったんです。それで、小料理屋の二階で決戦の場を持つことになりました。このことは、棋士と、ごく一部の関係者しか知りません」

「で、結果はどうなったんですか？」

「谷先生は、羽織袴《はかま》で対局に臨まれたんですけど、伸平さんの序盤の研究手順に嵌《は》まって、いいところなく完敗しました。……その後、谷先生は、病気ということで対局を欠場されてます。もしかすると、このまま引退ということになるかもしれません」

そういう厳しい勝負になれば、体力、気力の充実した若手が最初から有利なのは、否めないだろう。棋界に功労のあった大先輩を誹謗《ひぼう》中傷し、傷つけるのが、改革派のやることなのだろうか。榎本は、内心で、竹脇五段の人物像は相当修正しなければと思っていた。

「……最後に、神保《じんぼ》麻美《あさみ》さんという方ですね。この人は、女流棋士ではないんですね？」

「違います。メイド喫茶の店員さんなんですけど、かなりストーカー気味のファンというか。本人は、以前、伸平さんと付き合っていたと言ってるんですが」

「それは、事実ではない？」

「と思います。伸平さんは、否定してましたし。でも、思い込みが強いっていうか、伸平さんの方からアプローチして来て飽きたら捨てられたって……自分でも、もう、そう思い込んじゃってるんじゃないかと思います。仲平さんが相手にしないと、かなり荒れ狂って。ふだんは、どちらかというと、可愛らしい感じの人なんですけど、そうなったら、もう目が据わってて、ちょっと怖かったです」

　では、犯人は、その三人のうちの一人なのだろうか。

　榎本には、三人の動機よりも、むしろ、竹脇五段の隠された人間性の方が、印象に残っていた。

「ちょっと待っていただけますか？」

　榎本は、携帯電話を持って、喫茶店の外に出た。ハゲコウをコールすると、留守番電話サービスに回された。いったん通話を切ってから、かけ直そうとすると、向こうからかかってきた。着信音は、『禿山《はげやま》の一夜』である。

『何だ？　何か、わかったか？』

　ハゲコウが、ぶっきらぼうに訊《き》く。

「まだだ。それより、さっき質問したことは、どうだ？」

『ああ。あのホテルは、竹脇の定宿じゃなかった』

　被害者を、丁寧にさん付けで呼ぶのは、最初のうちだけらしい。

「本当か？」

『おまえの言うとおり、竹脇は、ふだんは、千駄ヶ谷のビジネスホテルに宿泊してたようだ。今回、初めて、あのホテルに予約して、やって来たらしい』

「予約は、本人の声だったのか？」

『わからん。男の声か女の声かすら、憶《おぼ》えてねえそうだ』

かりに、それが本人だったとしても、あのホテルを選んだのは、犯人の可能性が大だろう。

「もう一つ、来栖さんの電話はどうだ？」

『発信元は固定電話で、二回とも、まちがいなく中野区沼袋の彼女のアパートからだ』

「わかった」

榎本は、少しほっとしている自分に気がついた。二回の電話が沼袋からかけられているとすれば、来栖奈穂子にはアリバイが成立している。ホテルまで三十分で往復するだけでも、困難なはずだし、まして犯行を行うのは、さすがに無理だろう。

『それより、面白いことがわかった。竹脇がチェックインしてから、一カ所だけ、外部に電話をかけてるんだ。ええ？　誰にだと思う？』

「わかるわけないだろう？」

『おまえのよく知っている人物……レスキュー法律事務所の青砥《あおと》弁護士だ』

榎本は、眩暈《めまい》を感じた。青砥純子《じゅんこ》。どういうわけか、妙な密室事件に巻き込まれるときに限って、彼女がからんで来るのだ。

「何のために？」

『それは、わからん。法律相談だというんだが、あの女弁護士、具体的なことは何も教えてくれん。こちらが、いつも情報の出し惜しみをしてるから、その意趣返しってわけでもねえだろうが』

榎本は、嫌な予感がしたので、電話を切ろうとした。

「そうか、わかった。こっちは引き続き、鋭意調査する。じゃ」

『そこでだ。おまえが、女先生を訪ねて、法律相談の内容を聞き出してきてくれ』

「何で、俺が？」

『どういうわけか知らんが、おまえには、ガードが低いみたいだからよ』

電話を切って、喫茶店の中に戻ると、奈穂子も通話を終えたところだった。

「インターネットでは、もう伸平さんの事件が報道されてて、将棋連盟でも大騒ぎになってるみたいです」

白い携帯電話を閉じて、奈穂子が言う。

「ただ、今は、竜王戦の第一局を無事に終えることが最優先で、勝敗が決してから、何らかの対応を考えるということでした」

「誰と話したんですか？」

「さっき話に出た、中野君です。今の話は、連盟の理事から、直接聞いたみたいです。……それで、彼は、わたしを心配して、すぐにでも会いたいと言うんですが」

「そうですか」

どうせ、こちらから将棋連盟まで出向こうと思っていただけに、ある意味、好都合だった。

榎本が運転するスズキ・ジムニーの助手席で、奈穂子は、どことなく、落ち着かない様子だった。ジムニーの側面には『F&Fセキュリティ・ショップ』のロゴが描かれているので、ますます榎本の正体がわからなくなってきたからだろう。

「……というわけで、物盗《ものと》りの犯行にせよ、最初から殺意を持っていたにせよ、なぜドアチェーンがかかっていたのかが、目下の最大の謎なんです」

榎本は、運転しながら、頭をすっきりさせるために、フリスクを二錠、口の中に放り込んだ。

「ドアガードなら、中途半端なポジションで閉めれば、はずみでかかってしまうこともありますが、ドアチェーンでは、あり得ませんからね」

奈穂子は、顎《あご》に人差し指を当てて、チェーンの問題を一心不乱に考えているようだった。昨今は、脳を働かせず口ばかり動かす人間を目にすることが多いので、その様子は、ひどく好もしく映る。

「榎本さんは、どんな仮説をお持ちなんですか？」

慎重な口調で訊《たず》ねる。まるで、中盤の難所で、さりげなく歩を突き捨て、どう取りますかと打診しているようだった。

「まだ、仮説の段階にも至ってません。しかし、チェーンをかけたのは、たぶん、被害者の竹脇五段だったと思います」

「……そっか。部屋の外にいる犯人には、かけられませんよね」

「いや、そうとも言い切れないんです」

榎本は、外からでも、チェーンを外したり、かけたりする方法があることを説明した。

「……ですが、犯人が、犯行後、危険を冒してドアの外に留《とど》まり、わざわざチェーンをかけたとは、どうしても思えないんです」

「どうしてですか？」

「犯人がチェーンをかけなければならない動機を、どうしても思いつかないからですよ」

これに対し、奈穂子は、意外な切り返しをしてきた。

「じゃあ、伸平さんが、チェーンをかけたとしたら、その動機はわかるんですか？」

榎本は、頭を掻《か》いた。

「まだ、はっきりとは……。しかし、犯人がやったというよりは、自然な気がするんですが」

「……これは、単なる想像ですけど」

本格的な攻勢をかけようとする前のように、奈穂子は、居住まいを正した。

「どうぞ」

「もし、伸平さんが、刺されて重傷を負いながらも、まだ意識があったとしたら、大声を上げるか、電話で助けを呼ぼうとすると思います」

「すでに、声が出る状態ではなかったかもしれません」

「でも、半分立ち上がって、チェーンをかけるだけの力は、残ってたわけですよね？」

「そういうことになりますね」

「だとしたら、声が出なくても、ドアを開けて、廊下に這《は》い出すんじゃないでしょうか？ ひょっとしたら、誰かが見つけてくれるかもしれません」

もっともな反論と言うべきだろう。榎本は、しだいに、盤を挟んで彼女と対峙《たいじ》しているような気分になってきた。

「……なるほど。私が一つ考えたのは、竹脇五段は、犯人が引き返してくるのを怖れたのではないかということなんですが」

「犯人がですか？ でも、いったい、何のために引き返してくるんですか？」

「それは、まだわかりませんが……」

榎本が降参すると、奈穂子は、再び思考に没頭する。

「わたしは、竹脇伸平さんという人を、よく知っていました。恋人として付き合うより、ぎりぎりの勝負をしていると、その人の人となりが、本当によくわかるんです。……思考方法だけじゃなくて、人間性に至るまで」

榎本は、黙って聞いていた。

「伸平さんは、闘志を前面に出す棋風で、劣勢の終盤でも最後まで諦《あきら》めず、逆転への妙手を捻《ひね》り出すことで定評がありました。二年前のNHK杯で毒島竜王を破った一局が、一番よくそれを表してると思うんですが……」

「あの将棋は、私も見ました」

「じゃあ、よくおわかりだと思います。あの将棋は、仲平さんの一手損角換わりで始まり、終盤にもつれたんですが、最後は、先手の毒島竜王の勝ちになったように思われました。解説の鷺宮《さぎのみや》先生も、仲平さんがほどなく投了するだろうと予想していたんです。ところが、そこで、仲平さんの勝負手が飛び出しました」

「ああ。あの……玉立《おとり》ちの一手ですね」

「ええ。玉が自ら囮になって危地に飛び込むことにより、手順に自陣の駒を剝《は》がされるのを回避して、ぎりぎりの手順で打ち歩詰めに逃れて詰めろが続かなくなるんです。秒読みで、完全には読み切れてなかったみたいですし、毒島竜王が最善手を指せば、まだ残っていたようですが、結果的には、あの勝負手が、竜王のミスを誘発したんです」

「あの一手には、私もたいへん感銘を受けました。たしか、盤端の魔術師だとか何とか言われてましたね。しかし、それと、今回のチェーンの問題は、どう関連するんですか？」

「いったん逃走した犯人が、また戻ってくるなどと考えるのは、どう考えたって根拠のない怯《おび》えです。わたしの知っている仲平さんの思考方法には、全然、似つかわしくないんです。チェーンをかけて部屋に閉じこもるなんて、まるで、致命的な駒損をして、手も足も出なくなってから、穴熊に潜るようなものじゃないですか？　仲平さんだったら、かりに自分がもう助からないと確信していたとしても、ジリ貧しかない守りの手より、相手と刺し違える積極的な手を考えるはずです。あの玉立ちの妙手のように。……現実の問題としても、むしろ廊下に出た方が、犯人が戻ってきたとき、好き放題にされるのを妨げられるような気がするんですけど」

たしかに、奈穂子の言葉には、説得力があるような気がする。だが、たとえ感覚的に正しくても、具体的な読みの裏付けがなければ、推理も、将棋の手も、機能しないことは言うまでもない。

「しかし、そうすると、犯人も、被害者も、ともに、ドアチェーンをかける動機がないということになりますね。いったい誰が、チェーンをかけたんでしょう？」

「そのことなんですが、もしかしたら、事件後、誰もチェーンをかけなかったという可能性はないでしょうか？」

「誰も……？　ちょっと、意味がわからないんですが」

「わたしは、伸平さんが生きている間から、ずっと、チェーンがかかったままだったんじゃないかと思うんです」

「じゃあ、犯人は、どうやって脱出したんですか？」

「窓からということは、ありませんか？」

榎本は、首を振った。

「あそこから脱出するのは、私でも……いや、窓は、内側からロックされていました。その可能性は、ありません」

「だったら、犯人は、伸平さんがチェーンをかけて開けたドアの隙間から、犯行に及んだんじゃないでしょうか？」

榎本は、虚を突かれて、絶句した。密室トリックのような方法が使われた可能性は、まったく考えていなかったからだ。

だが、もしそうだとしたら、犯人の人物像からして、変わってくるだろう。竹脇五段が、ドアを開けて来訪者を招き入れたとしたら、相手は、親しい人物に限定される。だが、もし、ドアチェーンをしたままだったとしたら、逆になるからだ。

榎本は、フリスクを四錠、口の中に入れて嚙《か》み砕いた。

「通常、チェーンをかけているときのドアの隙間は10㎝ほどで、しかも、向きはかなり斜めです。その間から刺殺するというのは、かなり難しいと思いますが」

「でも、不可能じゃないと思います。10㎝の隙間があれば、たとえば、わたしの腕ぐらいなら、差し込むことができますし」

奈穂子は、スーツの腕をまくり、子供のように細い真っ白な腕をかざして見せた。榎本は咳払《せきばら》いをする。

「だとしても、届くのは、せいぜい、4、50㎝でしょう？　それに、どうやって、竹脇五段に後ろを向かせるんですか？」

「そこまでは、うまく説明できません……」

奈穂子は、一瞬、悲しげな顔になった。

「でも、たとえば、こういうのはどうですか？　伸平さんがチェーンをかけたままドアを開けたときに、何かを床に落とすんです。何か大事なものを。それで、伸平さんが拾おうとしてかがんだところを、上から突き刺したとしたら」

「うーん。それは、まったく不可能とは言えませんが……」

かなり、ありそうもない推論だった。そもそも、竹脇五段が、ドアチェーンをかけたまま応対するほど信用していない相手に対して、それほど無防備な姿を見せるとは思えないし、包丁の刺さり方にも疑問がある。通常、人間を刺殺するときの定石は、包丁を腰だめにして体当たりするのだ。それと比較すると、ドアの細い隙間から入れた細腕で上から突き刺したのでは、大した力は入らないだろう。とても、致命傷を与えるには至らないはずだ。

「今思いついたんですけど、アーチェリーかボウガンの矢の先端に、刃物を括《くく》り付けたんじゃないでしょうか？　チェーンをかけてドアを開けたとき、もしそういうもので狙われたら、とっさに後ろを向いて逃げようとすると思います。犯人が、その瞬間に、背中を射ったとしたら……」

物理的には、不可能ではないかもしれないが、これも、相当現実離れしている。だとすると、竹脇五段が倒れていた位置が、ドアから近すぎるような気がする。10㎝ほどしか離れていなかったのだ。刺された後で、少し這った形跡があるということではあるが。

「……いや、やはり考えにくいですね。死体には包丁が突き刺さったままでした。そもそも、矢の先端に包丁をくっつけられるかどうかも疑問ですが、後で、どうやって矢だけ外したんだということになります」

「うーん。だめか……。槍《やり》だったとしても、同じことですね」

　奈穂子は、がっかりしたように言った。

「それだけじゃありません。もし、あなたの言うように、ドアの隙間から犯行が行われたとすると、新たに説明のつかない問題が発生するんです」

「どんなことですか？」

　奈穂子は、興味を惹《ひ》かれたような顔になった。

「ドアの鍵《かぎ》ですよ」

　榎本は、引導を渡すように言った。

「犯人は、ドアの鍵をかけて、逃走しています。しかし、狭いドアの隙間から犯行に及んだのなら、いったいどうやって、部屋の鍵を手に入れたんでしょうか？　竹脇五段が、応対する際に、わざわざ必要のない鍵を持って行ったとも思えないですし」

「犯人は、鍵を使わずに施錠したのかも。ピッキングっていうんですか？　鍵を開けられるのなら、閉めることだって可能でしょう？」

「たしかに、可能です。あるいは、合い鍵を持っていたのかもしれない。しかし、もしそうだったら、今度は、部屋の鍵が消えていることの説明がつきません」

「……じゃあ、馬鹿馬鹿しいかもしれませんが、榎本さんがさっき言われたように、犯人が、外からチェーンを外して中に入り、鍵を取ったとしたら?」

榎本は、にやりとした。

「話が元に戻りましたね。せっかく隙間から犯行を行ったのに、これでまた、チェーンが外れてしまいました」

「そうか……」

奈穂子は、とうとう頭を抱えてしまった。

「しかし、これで、問題点が、よりクリアーになりました。この事件には明らかな二律背反がある。つまり、チェーンがかかっていることを説明しようとすると、キーがなくなり施錠されていることが不可解になる。一方で、犯人がキーを持ち去ったと考えると、チェーンがかかっている理由がわからなくなるんです」

「わたし……頭が混乱してきました」

奈穂子は、嘆息する。

「いや。あなたのおかげで、少し、状況が整理されてきたようです」

榎本は、残っていた四錠のフリスクを、口の中に振り入れた。

「この事件は、やはり、最初から密室と考えるべきだったんです。そして、キーワードとなるのは、動機です。……いったい誰に、そしてどんな動機があって、現場を密室にしたのか」

しばらくの間、車内は沈黙に包まれた。

やはり、動機が問題になるな、と榎本は考えていた。

密室が作られた動機だけでなく、本来の、殺人そのものの動機が。

3

将棋会館は、大勢の人が忙しげに出入りしており、いつになく活気があった。立て看板を見ると、二階の道場では、竜王戦の大盤解説会が開かれることになっているらしい。

中野四段の姿はなかった。奈穂子が捜しに行っている間、榎本は、そのあたりをうろうろしながら聞き耳を立てていたが、竹脇五段の事件を話題にしている人はいないようだ。大騒ぎになっているとしても、まだ、将棋連盟の一部に留《とど》まっているのだろう。

向こうから、和服姿の、見覚えのある顔の棋士がやってきた。榎本は、すかさず声をかける。

「頭山先生。本日は、ご解説ですか?」

頭山の金さんこと、頭山金之助九段は、補聴器に手をやり、怪訝《けげん》な顔で榎本を見た。

「いや、私じゃありません。解説は、たしか、小松《こまつ》八段だったと思いますが……はて」

あなたはどなたでしたかと訊《たず》ねられる前に、榎本は、旧知の仲のような顔をして、質問を続ける。

「ところで、先生。現在の形勢は、どうなんでしょうか?」

「うーん……。毒島竜王が、ちょっと指しよいようですがね。ここへ来て、消費時間にも差が付いてきたし、案外、終局は早いかもわかりませんなあ」

「そうですか。どのあたりで、竜王が有利になったんでしょう?」

「それは、あなた。やっぱり、昼食休憩後の1六桂打ちですよ。端の筋に桂馬を打つのは、一点狙いだから、普通は良い手にならないんですがね。解説者も控え室の検討陣も、誰一人気づかなかったようですが、あれが、ちょっと浮かばない絶妙手だったようで、鬼藤棋聖の意表を突きました」

榎本は、はっとした。

「あの一手に、毒島君は、ずいぶん長考してましたが、指された直後、今度は、鬼藤君がぴたっと動かなくなりましたからね。対局心理としても……いや、いかん。ちょっと急ぎますので、私はこれで」

「お目にかかれて、さいわいでした」

榎本は、深々とお辞儀をして、蹌踉《そうろう》と出て行く頭山九段を見送った。おそらく、孫弟子である竹脇五段の悲報を聞いて、急遽《きゅうきょ》駆けつけたのだろう。

それにしても、1六桂打ちというのは……。

記者らしい人物が通りかかったので、榎本は、一緒にエレベーターに乗り込み、後について四階で降りる。控え室は、大勢の報道陣でごった返しており、誰一人として、榎本の存在は気に留めなかった。セーターにジーンズという軽装が、ここではかえって周囲に溶け込むカモフラージュになったようだ。

ちょうど四時になったところで、部屋の隅にあるテレビでは、竜王戦の中継が始まったところだった。折りたたみ式の座卓の上には、数面の継ぎ盤が置かれて、局面の検討が行われている。

その横には、熱心にノートパソコンを覗《のぞ》き込んでいる男がいた。二つのウィンドウが開いている。どうやら、一方で竜王戦の実況サイトに接続しながら、将棋ソフトを起動して、かなり先の局面での詰みの有無を確認しているらしい。

「詰みそうですか？」

榎本が訊ねると、男は、誰だろうという顔になったが、「いや、これは相当詰みませんね。鬼藤先生も、まだまだ頑張れそうですよ」と応じる。

ここ数年のパソコンソフトの進歩は急激で、榎本も、『電脳将棋・ゼロ』というフリーソフトに、何度挑戦しても勝てないため、指すのを止めてしまっていた。序中盤では未《ま》だプロやアマの高段者に及ばないが、最終盤の詰むや詰まざるやという局面では、すでにトッププロを凌駕《りょうが》して久しいのだ。このため、タイトル戦においても、終盤の妙手を、対局者より先に記者室のパソコンが発見してしまうという珍現象が起きているほどだった。

実況サイトで遡《さかのぼ》って指し手を見れば、消費時間が記録されているはずだが、局面を戻してもらう、うまい口実を思いつかない。

部屋の隅で、棋譜を確認している男がいたので、榎本は、そっとそばに行って、耳元でささやく。

「竜王の1六桂打ちが指された時間って、わかりませんか?」

「あの手は……昼食休憩後、四十分の長考で指されてるから、二時十分頃かな」

男は、棋譜を見て答える。それから、不審な面持ちで榎本を見たので、「助かりました」と言って、さっさと記者室を退出する。

やっぱりそうか。榎本は、溜《た》め息をついた。

もし、それが、あの密室を作った動機だとしたら……。今は、そうではないことを祈りたい気持ちだった。

エレベーターで一階に降りると、きょろきょろしていた奈穂子が、こちらに駆け寄ってきた。

「榎本さん。どこへ行かれてたんですか?」

「すみません。せっかくの機会なので、将棋会館の中を、ちょっと見学していました」

奈穂子の後ろから、坊主頭の、ひょろりとした青年が現れた。

「この人が、中野君です」

中野秀哉四段は、赤いセルフレームの眼鏡の奥から、榎本に向かって射すくめるような鋭い視線を投げかけてきた。

話の内容が内容だけに、静かな喫茶店では他人に聞かれると具合が悪いからという口実で、榎本は、二人を居酒屋に誘った。さらに、竹脇五段への追悼という名目で、大ジョッキを一杯空けた頃には、少なくとも、中野四段の方の警戒心は、かなり緩んできたようだ。激しい緊張を伴う対局の後では、アルコールでテンションをオフにする習慣が付いている棋士は多いはずだというのが、榎本の秘《ひそ》かな読みだった。

「……竹脇さんを恨んでた人は、けっこう多いと思いますけどね。毒島竜王なんか、竜王戦の最中で新潟にいなきゃ、容疑者の一番手じゃないかな」

中野四段は、大ジョッキのお代わりを注文すると、焼き鳥を咥《くわ》えた。

「中野君。何言ってるの？」

奈穂子が、酒乱の弟にはらはらしている姉という面持ちで言う。

「いや、だって、そうじゃん。毒島竜王は、もちろん、そんなことをする人間じゃないけど、動機はあるよね？　ほんと、一時期は、竹脇さんの嫌がらせがひどかったもんね。毒島君が竜王になって、さすがに手が出せなくなったけど」

「やめて。伸平さんが何かしたっていう、証拠はないでしょう？」

「そりゃ、そうだけど……」

中野四段は、運ばれてきた大ジョッキを、一口で三分の一ほど飲み干した。

「でも、榎本さん。言っときますが、毒島竜王は、絶対犯人じゃありませんよ？」

「一ナノ秒も疑ってませんが」

「毒島竜王は、棋界の明日を背負って立つ棋士なんです。今は、まだ、上の世代の壁が厚くて、拮抗《きっこう》した状態ですけどね」

「たいへん、竜王の評価が高いんですね」

榎本は、焼酎《しょうちゅう》の水割りを口に運んだが、舐《な》めるほどしか飲まなかった。

「私のような一将棋ファンの目には、毒島竜王は、ちょうどチェス界におけるカスパロフのような印象があります」

「へえ？　どうしてですか？」と、中野四段。

「チェスにも、お詳しいんですね」と訊ねたのは、奈穂子。

「もともとは、昔のチェスの棋譜を並べたり、問題《プロブレム》を解いたりするのが好きだったんですよ。別に、フィリップ・マーロウを気取ってるわけじゃありませんが」

「だから、それは、誰……？」

「チェス界は、だいたい、将棋界より十年から三十年早く、物事が進んでいると思います。毒島竜王は、年代的にちょうど、人類として最強の位置に昇り詰めながらコンピューターに王座を奪われる気の毒な役回りになるんじゃないかという気がするんですよ。チェス王者のガルリ・カスパロフが、そうだったようにね」

「なるほど。そうなる可能性は、ないとは言えませんね」

中野四段は、うなずいた。

「この間の、毒島竜王と『電脳将棋・ゼロ』のエキシビション対局でも、一瞬だけ、ゼロの方に勝ち筋があったくらいだし」

「私も、ゼロを持ってるんですが、勝ち目がゼロなんで、つくづく嫌になりました」

「無理もないですよ。僕らでも、短い持ち時間だと、よく一発入れられますから」

「プロ棋士の方も、みなさん、お持ちなんですか？」

「パソコンがあれば、たぶん、全員持ってますよ。……でも、この間の対局では、竜王がゼロの棋風を分析し、変に裏をかこうとしたために、かえって形勢を損ねたんです。自然体で指せば、まだまだ差は大きいと思いますけどね。はっきりソフトが上回ってるのは、終盤くらいでしょう」

中野四段の舌は、かなり滑らかになってきた。榎本は、仕掛けを試みる。

「今日、竜王が指した1六桂のような手は、なかなかコンピューターには指せないと思うんですが、どうでしょうか？」

「うーん。どうだろう」

中野四段は、腕組みをして考える。

「妙手って言われるのは、だいたい、先入観が邪魔をして見えない手なんですよね。わかってみれば、コロンブスの卵っていうか。コンピューターソフトは、もともと先入観が少ないし、特に、ゼロは、可能な手を虱潰《しらみつぶ》しに読む全幅検索《ぜんぷくけんさく》ですから、ああいう手は、けっこう簡単に見つけるだろうと思ってたんですがね。なぜか、今日、控え室で使っていたゼロには、発見できなかったようです」

二人の表情には、別段、不審なところはなかった。だが、棋士は、職業柄、ポーカーフエイスはお手の物だろう。榎本は、二の矢を放つ。

「ところで、竹脇五段は、携帯電話を持っていたことはありませんか?」

「それは……」

言いかけて、奈穂子は、口をつぐんだ。

「ケータイですか? あの人は、そういうのが大嫌いだったんですよ。とにかく、誰からも管理されるのが嫌だって言って、今どき、よく公衆電話で……あ」

中野四段は、何かを思い出したように、口をぽかんと開けた。

「そういえばさ、一度だけ、ケータイを持ってたよね? 三人で飲んだとき。僕らに見せびらかしてたじゃん。今さら、何のアピールって感じだよね」

中野四段が問いかけると、奈穂子は、眉間《みけん》に皺《しわ》を寄せて考え込む。

「そんなこと、あったかな……?」

「あったあった。ほら、超薄《ちょううす》の黒いケータイだよ。しかも、それに爆笑ものの手製のストラップを付けてたじゃない? 憶《おぼ》えてないかなあ」

「たぶん、わたし、酔ってたと思う」

「爆笑ものの手製のストラップって、少し興味がありますね」

榎本が訊《き》くと、中野四段は、思い出し笑いをした。

「それが、何と、脚《あし》なんですよ」

「足?」

「将棋盤の脚です。もちろん、普通の将棋盤よりずっと小さい、置物かなんかのミニ盤の脚なんですけどね。わざわざそれにキリで穴を開けて、紐《ひも》を通してケータイにくっつけてたんです。将棋一筋という宣言なのかもしれないけど、超薄のケータイには全然合ってないっていうか、根付《ねつけ》の化け物っていう感じで、さすがにもう、何考えてるのか、ついて行けませんでした」

「それは、いつ頃の話ですか？」

「うーん。一、二ヵ月前だったかな」

「その後、竹脇五段が、携帯電話を持ってたところを見ましたか？」

「いや、それからは、一度も見てないですね。やっぱり、性に合わないと思って、止めたんじゃないですか？」


マナーモードにしてあった携帯電話を見ると、数本の着信記録があった。そのうち三本は、ハゲコウからである。有益な情報が入っている可能性もあるが、コールバックしても、文句を言われるだけという公算が大なので、無視することにした。

かなり長く居酒屋にいたような気がしたが、時計を見るとまだ八時台だったので、青砥純子にかけてみる。

呼び出し音三回で、出た。

『はーい。青砥です。久しぶりですね』

何となく、疲れた声だった。もしかすると、まだ弁護士事務所にいるのかもしれない。

「ご無沙汰《ぶさた》しています。今晩は、まだ、お仕事ですか？」

『ええ。このところ、細々とした案件が多くて。そうだ、ちょうどよかったかもしれない。榎本さんに、相談に乗ってもらいたいことがあるんだけど』

「どういう話ですか？」

『うちの事務所のセキュリティを、強化したいんです。最近、弁護士事務所が標的にされる事件が、多発してるでしょう？』

「わかりました。明日にでも、一度、伺いますよ」

『お願いします。ところで、何か火急の用件ですか？』

「はい。一つ、どうしても、お伺いしたいことがあるんです」

榎本は、事件の概要を説明し、竹脇五段が、どういう法律問題を抱えていたのかを訊《たず》ねた。

『そういうことは、お話しできません』

青砥弁護士は、にべもなかった。

『それに、榎本さんは、いつから警察の手先になったんですか？　悪行がバレて、司法取引でもしたの？』

「青砥先生が、常々、警察に対して、腹立たしい思いをされてるのはわかります……」

『特に、あの、鴻野っていう警部補は、何？　こちらが情報の開示を求めたときには、とりつく島もないのに、自分が何か知りたいときだけ、気持ち悪い猫撫《ねこな》で声で』

「たしかに、非常に気持ち悪いのは、認めますが」

『電話越しですら、口臭が耐えられなかったわ』

「そこまで言いますか……。先生。これは、警察のためじゃなくて、正義のためなんです。亡くなった竹脇五段の無念を晴らすためにも、彼が何を相談しようとしていたのか、教えてほしいんです」

『正義……』

青砥弁護士は、一瞬、絶句した。

『だからといって、簡単に、守秘義務を破るわけにはいかないんです。まして、あなたは、警察官ですらない、ハン……一般の人ですから』

『ハン』というのは、特に何かを言いかけたわけではなく、『ふん』というような間投詞だと思うことにする。

「しかし、今日の電話は、ごく短いものだったんでしょう？　それほど突っ込んだ話は、していないんじゃないかと思うんですが」

『……まあ、時間にすれば、五分程度ですね。実は、竹脇さんは、今晩、うちの事務所に来ることになってたんです。だから、まだ、具体的な話は何も聞いてないし、どっちみち、あまり参考にはならないと思いますよ』

「だったら、話しても差し支えないんじゃないでしょうか？　竹脇さんは、個人的な事情を明かしたわけじゃなく、一般論について訊ねただけなんでしょう？」

『それはそうだけど、それだって、相談者が、どういう問題を抱えていたかを暴露してしまいますからね。……やっぱり、だめです。諦《あきら》めてください』

「では、私の口から言いましょうか？」

『え？』

「竹脇さんが相談したのは、勝負における不正行為に関することじゃありませんでしたか？」

純子は、絶句していた。図星を指されたときの反応のようだ。

「……おそらく、それと、不正行為を暴くと言って何らかの脅迫を行った場合、罪になるのかという問題について」

榎本の耳に、純子のついた溜《た》め息が聞こえてきた。

『誰に、聞いたんですか？』

もはや、認めたも同じことだろう。

「いろいろな情報を総合して、得られた推論です」

『だったら、これ以上、わたしから聞くことはないでしょう？』

「いや。今度は、私が相談者になりますので、法律的なアドバイスをお願いします」

『……どうぞ』

「プロのスポーツや、囲碁、将棋、麻雀《マージャン》などで、不正行為があった場合、その不正は刑事罰の対象になるんでしょうか？」

『これは、あくまでも一般論ですが、競技中の不正は、その競技のルールに則《のっと》って審判を受けるべきもので、刑法で裁くのはなじまないと思います』

この質問を受けるのは、たぶん二度目なのだろう。純子は、よどみなく答えた。

「罪には問えないんですか？」

『まあ、ケースバイケースですけどね。ボクシングを例に取ると、ルール内での戦いで相手に怪我をさせても違法性は阻却されますが、かりに反則があったとしても、たとえば故意のローブローくらいでは刑事罰を受けることはないでしょうね。まあ、グラブに異物を仕込んだりしていれば、傷害罪に当たる可能性はありますけど』

「ただ、プロ競技の場合は、金銭的な利得も絡みますよね？　不正な方法で賞金を奪ったとすれば、詐欺罪などには該当しないんですか？」

『それも、具体的な話を聞かないと、何とも……。競馬の場合で言えば、競馬法というものがあって、ドーピングなどの不正行為には、刑事罰が科せられます。しかし、公営ギャンブル以外の競技では、それで立件された例は、あまりないんじゃないかと思います。基本的に、そういった場合の処分は、各競技団体の裁量に委《ゆだ》ねられているんです』

「なるほど。では、それに対して、不正を告発すると言って何らかの要求を行った場合は、どうなるんでしょうか？」

『『不正の告発』というのが、不正を正すことを目的にしておらず、単に相手を脅す手段であれば、脅迫罪、強要罪、恐喝罪などが成立する可能性が高くなるでしょうね』
電話を切ってからも、榎本は、しばらく、その場に佇《たたず》んでいた。
これ以上、この問題を追及する理由が、自分にあるだろうかと思う。
ハゲコウに手柄を立てさせ、貸しを作ったとしても、いったい、何になるだろう。
だが、もちろん、このまま見て見ぬふりをすることはできないことも、わかっていた。

4

「お待たせしました」と言って、純子が、部屋に入ってきた。

「弁護士の青砥です。あなたが、来栖さんですね？」

奈穂子に向かって、にっこりと会釈する。

「初めまして」

奈穂子の笑顔は、やや強張《こわば》っていた。榎本は、二人を見比べて、何となく、姉妹のように似通っていることに気がついた。知的な雰囲気も、負けん気の強そうなところも。そして、微妙に「天然」と形容されるような雰囲気があるところも。

「それで、本日は、どういったご依頼ですか？」

奈穂子は、戸惑ったように、榎本を見た。

「それが、わたしには、よくわからないんです。榎本さんから、こちらの法律事務所に来るよう言われて」

「一週間前の、竹脇五段が殺害された事件に関連して、伺いました。ようやく、真相らしきものが、見えてきましたので、ここでお話しさせていただきたいと思います。青砥先生には、立会人になっていただき、場合によっては、弁護をお願いしたいと思いまして」

榎本は、説明を引き取った。

「立会人というのは、何ですか？」

純子は、眉《まゆ》をひそめる。

「立会人がいるなんて、何だか、まるで将棋のタイトル戦みたいですね」

奈穂子が、明るく言った。誰の弁護なのかという点には、二人とも、触れようとしない。

「今、真相がわかったと言われましたけど、実は、わたしも一つ、思いついたことがあるんです。話してもいいですか？」

「どうぞ」

榎本は、うなずいた。純子も、とりあえずは聞いてみようという表情だった。

「ホテルの部屋が密室になっていた理由です。やはり、犯人は、チェーンをかけてドアを開けた隙間から、伸平さんを刺し殺したんだと思います。……その場合の最大のネックは、犯人が、どうやって部屋の鍵《かぎ》を手に入れたかということでしたよね？」

「そうですね」

「たぶん、わかってみれば、くだらないことだったんだと思います。伸平さんは、うっかり、キーをドアの鍵穴に差したままにしていたんじゃないでしょうか？」

「うっかりですか？」

「ええ。伸平さんは、日頃は注意力に長《た》けた人でしたけど、将棋のことで頭がいっぱいのときには、たまに、そういうこともありました」

「なるほど……」

「だめですか？」

榎本が、はかばかしい反応を見せないので、奈穂子は、不服そうだった。

「今のところ、絶対に違うと言い切る根拠はありません。ただ、私の推論とは異なっていますので、後ほど検討することにしましょう」

榎本は、すっかり冷めたお茶を、一口飲んだ。

「何から話したらいいでしょうか。……一九七八年に」

「そんなに、遡《さかのぼ》るんですか？」

純子が、疑わしそうに口を挟んだ。

「わたしは、まだ生まれてませんけど……」

奈穂子も、当惑したように言う。

「これは、直接、関係のある話ではないんです。ただ、今から三十年前にチェス界で起きた事件が、現在の将棋界に起きつつある状況を考えると、きわめて示唆的だと思ったものですから」

　今度は、二人とも、黙って聞いていた。

「一九七八年に、フィリピンのバギオで、チェスの世界選手権戦が行われました。当時の世界チャンピオンは、ソビエト連邦のアナトリー・カルポフ。挑戦者は、ソ連からスイスに亡命した、ビクトル・コルチノイでした。試合は、単なるスポーツ・イベントではなく、国家の威信を賭《か》けたものになり、盤上での戦い以外に、熾烈《しれつ》な盤外戦術が繰り広げられたのです」

　二人の女性は、いったい何の関係があるんだろうという顔だった。

「コルチノイは、挑戦者決定戦においても、ソ連勢との対局が続いており、対局中に、催眠術による攻撃を受けていると申し立てていましたが、さらに、カルポフとの一戦では、X線を照射されている可能性があると訴えました。このときは、対局場の放射線レベルの測定まで行われています。世界のメディアとチェスファンの大半は、いくら何でも、コルチノイの被害妄想か攪乱《かくらん》戦術だろうと思いましたが、最近になって、ロシアが、放射性物質のポロニウムを暗殺に用いた疑いが出てきたことを考えると、違う見方もできるような気がします。何と言っても、コルチノイ自身が、ソ連にいたときに、彼らの手口を知り尽くしていたはずですから」

「その話が、今の将棋界に、何の関係があるんですか？」

　奈穂子が、我慢しきれなくなったように訊《たず》ねた。

「関係があると思うのは、この後なんです」

榎本は、静かに言った。

「その後の対局中、コルチノイは、カルポフに差し入れられるヨーグルトに、暗号による助言が含まれているのではないかというクレームを付けました。審判団が協議した結果、ヨーグルトは、紫色のブルーベリーのみと指定され、それ以外の差し入れには、新たな許可が必要とされたのです」

奈穂子は、沈黙した。

「……さて、それから二十八年後、二〇〇六年の世界選手権では、事態は改善されたでしょうか？　勝者となったロシアのウラジミル・クラムニクは、頻繁に席を外して休憩室へ行くという行為により、対戦相手であるブルガリアのベセリン・トパロフに、クレームを付けられています。クラムニクがコンピューターを使っているという疑いについては、多くの関係者は否定的でしたし、世論は概してクラムニクに同情的でした。とはいえ、私は、クラムニクが一試合に五十回も休憩室に行ったのは、疑われてもしかたのない行為であったと思いますし、もし、本当にそれほど体調が悪かったとすれば、過酷な世界選手権戦で勝者になったこと自体、驚くべきことだと思っています」

「ええと……要するに、榎本さんは、こうした競技には不正は付き物だということを、言いたいんですか？」

純子は、かなり呆《あき》れ顔だったが、ごく単純に要約する。

「チェスの歴史は、少なくとも、常に、その疑惑が存在することを示していると思います」

「現在の将棋界においても、何らかの不正が行われていると言うんですか？」

榎本は、奈穂子に視線を向けた。純子も、そちらに目をやって、はっとしたようだった。奈穂子の顔色は真っ青で、膝元《ひざもと》でハンカチを握りしめている。

「チェスの世界では、将棋界より十年から三十年早く物事が進行しています。昨日、チェスで起きたことは、明日、将棋で起きても不思議はないんじゃないでしょうか」

「でも、チェスと将棋では違うんじゃないですか？　ゲームそのものは似てるのかもしれませんけど、文化だとか、国民性とかは」

純子が、反論する。

「もちろん、そうでしょう。しかし、究極には、どちらも、同じ人間のやることです」

「榎本さんが性悪説《せいあくせつ》に立つのは、非常によくわかりますけど……」

純子は、皮肉な口調で言った。

「性悪説ではありません。私は、すべての人間が不正を行うとは言っていません。むしろ、そういう機会を与えられても、自分を律する人間の方が多いだろうと思っています。あるいは、一部の人間は常に不正を行うというものでもありません。……しかし、ある程度の規模の集団があったとき、そのメンバーがどれほど選び抜かれていたとしても、誰一人永遠に不正を行わない、などということは、私には信じられないんです」

純子は、何か反論したかったようだが、結局、そのまま口を閉じた。

「……私は、竹脇五段が殺害された原因は、何らかの不正が行われているのに気づいたからだろうと推論しました。そのことは、竹脇五段が、青砥先生に持ちかけようとしていた相談内容からも、裏付けられます」

「それは、あなたが勝手に想像した相談内容ですよね？　わたしは、何も喋《しゃべ》ってませんから」

純子が、あきらかに自己弁護のために言う。

「……かりに、榎本さんがおっしゃったことが、犯人の動機だったと仮定すると」

奈穂子が、口を開いた。まるで、対局で、歩を突き捨てて戦端を開くときのような、引き締まった表情だった。

「いろんなこと、部屋にチェーンがかかっていたことなんかは、全部、説明がつくんですか？」

「はい」

榎本は、あっさり同歩と応じるように、答えた。

「あのチェーンについては、やはり、第一感が正しかったようですね。あれは、竹脇五段がかけたものだと思います」

「でも……何のために？　わたしには、納得できません」

奈穂子は、鋭く反撃する。

「あまりにも消極的で、どう考えても、伸平さんの棋風や性格に合わないんです」

「たしかに、単に、犯人が戻ってくるのに怯《おび》えてチェーンをかけるのは、竹脇五段らしくないと思います。しかし、もし、それが、正確な読みに基づいた行動、はっきりとした狙いのある一手だったとしたら、どうでしょう？　死を間近にしながら、最後の体力を使い切って反撃を策したのは、普通の人間にはとうてい不可能だったでしょう。むしろ、プロの勝負師である竹脇五段だからこそ、できたことだと思います」

「どういうことなのか、さっぱりわからないんですけど？　正確な読みって、竹脇さんは、いったい何を読んだんですか？」

純子は、理解に苦しむという面持ちだった。

「竹脇五段は、犯人は、たぶん引き返してくるだろうと読みました。それは、けっして、根拠のない怯えでも、妄想でもありませんでした。現実に、犯人は、引き返してきたからです」

「どうして、そんなことがわかるんですか？」

奈穂子は、眉《まゆ》をひそめる。

「最初に、私があの部屋に呼ばれたとき、切断されたドアチェーンを復元し、かけたままの状態で、ドアを開けてみました。ドアは、ちょうど遺体の場所を示すテープのところで止まりました。ドアが遺体に触れる位置に来ただけではなく、そのときのドアの角度が、遺体の角度と、ぴったり一致していたんです。これは、偶然とは考えられません」

「つまり、遺体は、ドアによって押しのけられたっていうこと？」と、純子。

「ええ。最初は、遺体を発見したホテルマンが、合い鍵《かぎ》でドアを開けた際に、押しのけたのだろうと思いました。ところが、ホテルマンに訊《き》いてみると、ドアはスムーズに開き、チェーンで止まったということでした。……したがって、ホテルマンより先に、ドアを開けようとした人物がいて、遺体は、そのときに押されたということになります。その人物は、犯人以外には考えられません」

榎本は、奈穂子を見た。

「ですから、犯人が、ドアの隙間から殺人を行い、鍵穴に差さったままだったキーで施錠して逃げたという仮説は、現場の状況にそぐわないんです。そうだとしたら、遺体が、ドアにぴったりくっついていて押しのけられるということもなかったでしょうし、ドアにチェーンがかかっていることは百も承知だったはずですから、犯人が何をしに戻ってきたのか、まったく意味不明になります」

「でも、犯人が、いったん逃げ出してから、引き返してきたというのは、ちょっと信じられません。ドアで死体が押されたのは、犯人が部屋から出るときだったという可能性はないんですか？」

奈穂子は、まっすぐ、榎本の目を見返しながら言った。

「ありえません。もしそうだとすると、犯人が退去するとき、すでに竹脇五段は絶命していたことになりますから、チェーンをかけた人間がいなくなります」

榎本は、微笑して首を振った。

「それに、部屋の中からドアを引き開けたときに、遺体を押したとは考えられないんです。遺体は、ちょうど、チェーンの幅だけしか押しのけられていませんから、その隙間から外に出るのは不可能なんですよ」

しばらくの間、沈黙が訪れた。三者三様の沈黙。純子は、懸命に頭を整理して、先を読もうとしている。一方、奈穂子は、不利な局面から、反撃の一手を捻《ひね》り出そうと苦吟しているかのようだった。そして榎本は、すでに詰みを読み切って相手の投了を待っている棋士のように、悠然と構えていた。

「……なるほど。犯人は、伸平さんの読み通り戻ってきたとしましょう。でも、もしそうだったら、ドアにチェーンをかけて閉じこもるより、部屋の外に出る方が、ずっと伸平さんらしいと思います。たとえわずかでも、誰かに見つけてもらう可能性に賭《か》け、いくら冷酷な犯人でも廊下で犯行の続きを行うのはためらうはずだと読んで……」

奈穂子の声は、少し掠《かす》れていた。

「竹脇五段が守ろうとしたのが、自分自身だったのなら、そうしたかもしれません。しかし、守るべきものは、他にあったんです。犯人が、途中で気づいて戻ってきたのも、竹脇五段と同じ考えに至ったからでした」

「もったい付けないで。竹脇さんは、いったい、何を守ろうとしたの？」

純子が、焦《じ》れたように言う。

「マグネット盤です」

「将棋の？」

「ええ。正確には、そこに現れていた、竜王戦第一局の局面ですが」

「でも、なぜ、その局面を守らなければならなかったんですか？」

「それが、犯人につながる、重大な手掛かりになるからですよ」

榎本は、奈穂子の方を見やった。

「来栖さんには、よく、おわかりのはずです」

奈穂子は、しばらく目を閉じた。

「……時間ですか？」

「時間？」

榎本は、眉を上げた。

「タイトル戦の着手は、すべて消費時間が記録されていますから、局面さえわかれば、犯行時間も、ある程度特定できるはずです」

「たしかに、その通りです。実際、現場に残されていた局面の最後の一手、１六桂は、午後二時十分頃に指されたことがわかっています。したがって、犯行時間は、その後ということになりますね」

榎本は、両手を組んで、身を乗り出した。

「しかし、あの局面は、それよりも、はるかに重大なヒントを与えてくれるんです。……お二人は、チェスの逆向き解析《レトログレード》をご存じでしょうか？」

　純子は、お手上げというポーズをした。奈穂子は、かすかにうなずく。

「私は、チェスの問題《プロブレム》を解くのも趣味なんですが、詰め将棋に近いものだけでなく、完全なパズルのようなものまであり、なかなか飽きません。特に、逆向き解析と呼ばれる問題は、思考のプロセスがミステリー小説とまったく同じなんです。たとえば、一つの局面を見て、最後に動いた駒が何であったかを推理するという問題があるんですが……」

「榎本さん。ちょっと、脱線のしすぎじゃないでしょうか？　いいかげんに、本題に入ってください」

　純子は、とうとう、我慢しきれなくなったようだ。榎本は、奈穂子の方を見たが、短時間で動揺を克服し、元通りのポーカーフェイスに戻っていた。

「わかりました。要するに、あの部屋全体が、いわば竹脇五段作の逆向き解析の問題だったんです。問われているのは、あの部屋からなくなっているものは何かということです。そして、そのヒントとなるのが、竜王戦の盤面です」

「なくなっているもの？」

　純子は、眉間《みけん》に皺《しわ》を寄せる。

「さほど、難しい話ではありません。あの部屋に残されていたマグネット盤には、毒島竜王が指した1六桂馬までが再現されていました。誰も予想していなかったという、その手が指されたのは、午後二時十分頃です。ところが、竹脇五段がチェックインしたのは、午後二時のことです。だとすると、竹脇五段は、どうやって1六桂の一手を知ったのでしょうか？」

「それは……いくらでも方法はあったんじゃない？　部屋には、テレビも電話もあったんだし」

「竜王戦のテレビ中継はＢＳのみで、午前九時からの一時間の後は、午後四時からです。あの時間、テレビから情報を得ることはできませんでした。また、通話は、来栖さんからかかってきた二本と、青砥先生にかけた一本のみです。そのとき、竜王戦の指し手の話が出ましたか？」

榎本は、じっと奈穂子を見つめた。彼女は、ややあって、「いいえ」と答える。

「わたしも、まったく、そんな話は……」と言いかけた純子を、榎本は、「わかってます」と言って遮った。

「つまり、竹脇五段が、竜王戦の途中経過を知る方法は、インターネット経由しかなかったんです。あの部屋には、ノートパソコンか携帯電話があったということになりますが、以下のような理由から、私は、それは携帯電話だったと思います。まず、あのホテルにはネットにアクセスするためのＬＡＮジャックが備えられていないこと。まあ、パソコン自体に通信機能があったのかもしれませんが……。それから、狭い机の上には、ノートパソコンを置くだけのスペースが残されていなかったこと。竹脇五段が持ってきた小さなボストンバッグには、ノートパソコンを入れる余裕がなかったこと。さらに、ノートパソコンがあったのなら、マグネット盤を使う必要はなかったはずという点も挙げられます」

「携帯情報端末《PDA》のような、もっと小型の機器を使ったという可能性はないんですか？」

純子が、弁護士らしく突っ込みを入れる。

「ないと思います。竹脇五段は、機械嫌いだったということなので、ノートパソコン自体も考えにくいんですが、PDAのような、より小型のインターネット端末を使っていたとは、とても思えません。携帯電話でさえ、つい最近まで持っていなかったようですから」

榎本がちらりと見ると、奈穂子は、肩を落としていた。

「つまり、素直に考えれば、犯人は、犯行の後、竹脇五段の持っていた携帯電話を持ち去ったということになります。それこそが、竹脇五段が、ドアにチェーンをかけ、竜王戦の盤面を保存することで残した、ダイイング・メッセージなのです」

再び、三者三様の沈黙が訪れた。敗者にとっては、自分に負けを言い聞かせる、辛《つら》い時間だった。勝者は、ひたすら、それを待つのみである。そして、最後の一人である観戦者は、まだ、事態がよく呑《の》み込めていなかった。

「ちょっと待って。犯人が、携帯電話を持ち去ったとして、それが、いったい何の手掛かりになるんですか？　だって、犯人がそうした意図なんて、誰にもわからないでしょう？」

純子が、口を尖《とが》らせて言う。

「もちろん、すぐには断定できません。しかし、携帯電話があったはずという仮定に立ってみると、様々な不審点がクローズアップされます。まず、竹脇五段自身は、一度も携帯電話を契約したことがありません。これは、確認済みです。そして、先ほどの、不正行為についての疑惑です。……ここで問題なのは、単に携帯電話がなくなっているという事実だけでなく、竹脇五段が、それをダイイング・メッセージとして残したことです。携帯電話が消失したことが、犯人に直結する重要な手掛かりであると、宣言しているようなものじゃないですか？」

榎本は、奈穂子の方に向き直った。

「来栖さん。そろそろ、すべてを話していただけないでしょうか？」

駄目を押すのが早すぎたらしく、奈穂子は、反発を見せた。

「榎本さんの推理は、犯人は、対局中に不正行為を行っていたということが、前提になってるんですよね？　そんな証拠が、どこかにあるんですか？」

「証拠といえるかどうかはわかりませんが、警察から将棋連盟に正式の依頼を行って、あなたが三段リーグで残した棋譜を、すべて、詳細に分析してもらいました」

奈穂子の反応は、電撃に触れたようなものだった。

「……あなたは、序中盤での卓越したセンスに定評があるようですね。ところが、最終盤で詰めを誤り、ひっくり返されることが多かった。それが、このところ、影を潜めています。三段リーグは年二期だそうですが、今年の前期リーグでは、負けたのは、序盤で不利に陥り、一方的に押し切られた将棋だけです。その一方、苦手だった一手違いの終盤戦では、なぜか、全局、好手を連発して勝ち切ってますね」

「それが、どうしたんですか？　誰だって、苦手を克服して、進歩することはあるでしょう？」

「もちろん、その通りです。しかし、あなたが、ぎりぎりの寄せ合いを勝ち抜いた棋譜だけを選んで解析してみると、終盤戦における指し手の約90パーセントが、現在最強とされるソフト『電脳将棋・ゼロ』が選んだ手と一致していました。……先ほど紹介した、チェスの世界選手権で疑惑を抱かれたクラムニクの指し手は、約70パーセントが、最強ソフトの『ディープ・フリッツ』の手と一致したそうです。こちらは、たしかに微妙な一致でしょう。しかし、あなたの場合は、90パーセントだ。終盤戦は手が絞られるといっても、これは、高すぎる数値だと思います。それから、中野四段に頼んで、詰むや詰まざるやという局面で勝負を決めた決断の一手ばかりを、ピックアップしてもらいました。全部で二十以上ありましたが、ゼロに出題したところ、すべての局面で、あなたと同じ指し手を返してきたんです」

　奈穂子は、沈黙し、ゆっくりと首を振った。否定の意味ではないことは、榎本にはわかっていた。多くの棋士が、投了する前に、同じような仕草を見せる。

「ちなみに、もう一人、あなたと同じような数値を記録した人がいました。同じ女性奨励会員である稲垣真理《いながきまり》一級です。この人が、あなたの共犯者だったんですね？……あなたのアリバイも、共犯者がいた場合は、無効になる。電話だったら、テープレコーダーを使えば、いくらでも、あなたからの通話だと偽装できるからです」

奈穂子は、大きく息を吐き出してから居住まいを正し、言葉を絞り出そうとした。

「わたしは……」

「待って。何も言わなくてもいいわ」

純子が、割って入る。

「青砥先生……」

榎本は、溜《た》め息をついた。立会人の選定は、大悪手だったかもしれない。

「榎本さん。あなたの推理は面白いですけど、すべて砂上の楼閣です。状況証拠にもならない単なる憶測だけじゃないですか？『ぎりぎりの寄せ合い』だとか『詰むや詰まざるや』とか言って恣意的《しいてき》に選んだ棋譜で、指し手が、たまたまコンピューターと一致したかといって、何なんでしょうか？ それは、単に、来栖さんが、最善の手を指したというだけのことじゃありませんか？」

「しかしですね、統計的に言うと……」

「それに、百歩譲って、対局中に何らかの不正があったとしましょう。それが、どうして殺人事件の証拠になるんですか？」

「私は、対局の際、カンニングを行うのに使われたのが、携帯電話だと考えています。そして、その携帯電話が、犯行現場から持ち去られたとすれば……」

「まず、そこが問題です。犯行現場から携帯電話が持ち去られたという推理そのものが、憶測に過ぎないんです。あなたの推理は、竹脇さんが何らかの方法でネットにアクセスし、毒島竜王の指し手を知ったということが前提になっています。しかし、そうとは限らないじゃないですか？　その一手は、竹脇さんが自分で考え、発見したのかもしれないでしょう？」

「しかし、1六桂は、解説者を始めとして、控え室で検討していたトッププロたちが、誰一人として気づかなかった手なんですよ？」

「だから、竹脇さんが、思いついたはずがない？　それは、プロ棋士だった故人に対して、失礼じゃないですか。プロ棋士は、それぞれ独自の棋風を持っていると聞いています。どんな妙手であったとしても、竹脇さんには、たまたま見えたのかもしれませんし、少なくとも、絶対に思いついたはずがないという証明は、できないでしょう？」

純子は、舌鋒《ぜっぽう》鋭く切り返す。

「たしかに、そこまでの証明はできません。しかし、あの一手については、来栖さん自身が、自白に等しい行動を取っているんです」

「どういうことですか？」

「竹脇五段が殺害された直後です。来栖さんは、あの部屋に来られ、何気ない様子でマグネット盤に近寄ると、一枚の駒を手に取りました。それが、あの1六に打たれた桂馬だったんです。ところが、鴻野警部補から、触らないように注意を受けると、あわてて駒を戻しました。しかし、戻した場所は盤上の元の桝目《ますめ》の上ではなく、持ち駒が置いてあった机の上でした。つまり、盤面は、1六桂が打たれる前の状態に戻されたことになります。つまり、これこそ、来栖さん自身が、隠蔽《いんぺい》工作が必要だと認識していたことの……」

「それの、どこが自白なんですか？　お話になりませんね」

　純子は、一笑に付した。

「たまたま、一枚の駒を手に取り、注意されたので、あわててそれを置いた。それだけのことです。そこに、何らかの意味を見出《みいだ》すのは、見る側の主観でしょう？」

　どうも、彼女は、勝手が悪い。頑強な守り駒は相手にせずに、直接、玉を攻めた方がいいだろう。榎本は、奈穂子の方に向き直った。

「青砥弁護士が言うとおり、現時点では、犯行の証明は不可能です。しかし、竹脇五段が遺《のこ》したメッセージは、と金攻めのようにじわじわと効いてくるでしょう。私は、現場には間違いなく携帯電話があったはずだと信じてますし、警察も、その線に沿って捜査を進めるはずです」

　奈穂子は、じっとうつむいたままだった。

「すると、何がわかるか言いましょう。もし、あなたが、自分名義で携帯電話を契約していたのなら、話は早い。通話記録からは、対局中に不正行為が行われたことも、その後、竹脇五段が電話を使っていたことも、当日、あのホテルから竜王戦の実況サイトに接続していたことも、すべて発覚します。かりに、他人名義のプリペイド携帯を使っていたとしても、当日、当該時刻にホテルの周辺から発信された携帯電話は、虱潰《しらみつぶ》しに調べられるでしょう。捜査があなたに行き着くのは、時間の問題です。すでに、一手一手……寄ってるんですよ」

　榎本は、あえて将棋の用語を使って畳みかけた。

「もし、これが、あなたにとって身に覚えのない非難なら、何一つ怖れる必要はありません。しかし、もし、あなたが、竹脇五段を殺害していたのなら、自首すべきだと思います。その方が、幾分かでも罪が軽くなりますから」

「榎本さん。あなたは、いつから、警察の……」

　純子が言いかけたが、奈穂子は、顔を上げると、静かに口を開いた。

「おっしゃるとおりです。わたしが、伸平さん……あの男を、殺しました」

「ちょっと待って。そんな証拠は、どこにもないのよ？」

　純子が、あわてて遮ろうとしたが、奈穂子は、うっすらと笑みを浮かべて首を振った。

「いいえ。もう、証拠は充分です」

5

「わたしたちは、この方式を、『システム』と呼んでました」

　奈穂子は、憑《つ》き物が落ちたように、穏やかな表情になっていた。

「将棋界では、『藤井《ふじい》システム』や『森下《もりした》システム』など、戦法を示す言葉として多用されていますから、万一、誰かに聞かれたとしても、不審を抱かれないと思ったからです」

「具体的には、どういうやり方をしたんですか？」

榎本は、訊《たず》ねた。

「わたしと、真理ちゃんが、交互に協力することになっていました。対局者は、微妙な仕草で、どんな情報が欲しいかを協力者に伝えます。そうすると、協力者は、盤面を見て記憶し、ノートパソコンとケータイを持ってトイレに行きます。個室に入って『電脳将棋・ゼロ』を起動し、詰みの有無や最善手など、必要な情報を調べるんです」

「それを伝える方法が、携帯電話だったんですね？」

「ええ。協力者が、何度も対局室を出たり入ったりしていれば、疑惑を招きます。協力者は、二度と対局室に入らず、ゼロが出した結論を対局者のケータイに送信するんです。普通は、マナーモードにした呼び出し音の数で、情報を伝えます。三回だと詰み、五回は不詰み。最善手を知りたいときは、符号で伝えました。……ケータイは、音が漏れないよう消音材でくるみ、バッグに入れてあります。その振動を、膝《ひざ》や手で感じ取るんです」

奈穂子は、寂しげに笑った。

「これでも、わたし自身、弱点だった終盤力をアップするために、努力したんですよ。徹底的に詰め将棋を解き、棋譜並べのときでも、難解な終盤は自力で読み切ろうとした……。その甲斐《かい》あってか、詰むか詰まないか、急所の一手は何か、それだけ教えてもらえれば、その後は、ほとんど最善の手順を続けられたんです。ゼロと指し手の一致が多かったとしても、全部が全部、カンニングしたんじゃないことだけは、信じてください」

「……だとしたら、『システム』などに頼る必要は、なかったんじゃありませんか？　もう少しで、自力で三段リーグを突破できたのでは？」

「そうすべきだったと思います。自分の力だけを信じて。でも、奨励会には、年齢制限があるんです。満二十六歳のときに戦っているリーグで四段になれなかったら、自動的に退会になるんです。ただし、リーグ戦で勝ち越しを続けている限り、二十九歳までは残留できるんですが」

「あなたは、今、ちょうど二十六歳でしたね」

「ええ。ですから、本当に、崖《がけ》っぷちにいる気分でした。これまでのリーグでは、調子がいいときは次点ということもあったんですが、負け越したこともありました。あと一勝の重みを、嫌というほど味わってきたんです。……もちろん、不正をした言い訳にはなりませんが」

「稲垣真理一級も、事情は同じだったんですか？」

「ええ。これも奨励会の規定で、満二十一歳の誕生日までに初段になれなければ、やはり退会になるんです。真理ちゃんも、実力は充分にありながら、秒読みに上がってしまうという癖があり、何度も昇段を逃してきました。彼女の場合、『システム』があるという心理的な安心感の方が、大きかったかもしれません。……真理ちゃんを引き込んだのは、わたしなんです。取り返しのつかないことをしてしまいました」

奈穂子は、うなだれ、ハンカチを出して目元を拭《ぬぐ》った。殺人よりも、むしろ、後輩を巻き込んでしまったことを後悔しているようだった。

「……それで、竹脇五段に、『システム』のことを知られてしまったんですね？」

「あの男は、盤上だけでなく盤外でも、独特の嗅覚《きゅうかく》を持っていました。わたしたちは、誰にも感づかれないように、細心の注意を払っていました。にもかかわらず、何かの機会に、不審を抱いたみたいなんです。たぶん、わたしが、急に終盤戦が得意になったからだと思います。なぜ、ふだんはあまり目に触れる機会もない、奨励会の対局に注目したのかはわかりませんが」

奈穂子は、嘆息した。

「三段リーグの対局日に、奨励会の幹事でもないのに、あの男がうろうろしているのを見たときは、嫌な予感がしました。以前、わたしにしつこく付きまとったことがあって、それ以来、警戒はしてたんです。でも、そのときは、『システム』がバレるはずがないという、妙な自信を持っていました。それでも、できればその日は使いたくないなという気はしてたんですが、そんな日に限って、将棋は一手争いの難解な終盤戦に入ってしまいました。わたしは、真理ちゃんにサインを送り、自玉が詰まないことを確認して必至をかけ、勝利することができました」

そのときの緊張がよみがえってきたかのように、奈穂子は、お茶で口を湿した。

「終局後、感想戦を終えて帰り支度をしたとき、ほんの一瞬ですが、バッグから目を離したんです。振り向いたら、なぜか、あの男がそばにいて、しかも、手には、わたしのバッグを持っていました。いかにも親切に荷物を取ってやったという態度で、わたしにバッグを手渡したので、逃げるように、その場を後にしました。でも、何だかひどい胸騒ぎがして、化粧室でバッグの中をあらためました。そして、『システム』専用の黒いケータイがなくなっていることに、気がついたんです」

奈穂子の目が、一瞬、鋭い光を帯びた。

「その後のことは、あまり話したくありません。あの男は、わたしを脅迫し、思い通りにしました。しかも、中野君たちの前で、付き合っているという宣言までさせたんです。弱みを握られている以上、わたしは、あの男に逆らうことはできませんでした」

「そのときに、相談に来てくれたら、力になれたのにと思うわ」

純子が、同情を込めて言う。

「でも、結局は、どうにもならなかったと思います。もし、『システム』のことが明るみに出れば、わたしと真理ちゃんは、将棋界から永久に追放されます。その後、あの男がどんな罰を受けようと、何の慰めにもなりませんから」

「でも、竹脇さんは、わたしのところに相談に来ようとしてたわ。あなたに訴えられるかもしれないと、怖れてたんじゃない？」

「何もかも言いなりでは、本当に、とんでもないことになると思ったんです。それで、わたしなりに駆け引きをしました。でも、結局は、わたしに刺し違える度胸はないと、見透かされてたみたいです。あの男は……本当に悪魔でした」

「それで、殺すことにしたんですね？」

「どんなことがあっても殺人は許されないなんていう、お説教はやめてくださいね。あれは、わたしたちの人生を賭《か》けた勝負手でした。もはや、それ以外には、わたしたちの人生を守る方法はないと思ったんです」

「あのホテルを予約したのも、あなたですか？」

「違います。わたしは、あの男が対局で上京するたびに、デリヘル嬢のように、泊まっているホテルに呼びつけられてました。でも、千駄ヶ谷周辺だったら、将棋関係者に目撃される可能性もありますから、少しでも遠くにしてくれるよう頼んだんです。それで、あの男が、あのホテルを見つけて、自分で予約したんです。……あのホテルが選ばれたのは、今思えば幸運な偶然でした。フロントを通らずに客室へ行ける構造は、殺人にも好都合でしたから」

奈穂子は、ようやく胸のつかえを吐き出したように、微笑んだ。

「アリバイ工作は、真理ちゃんに頼みました。わたしのアパートに待機してもらい、こちらからの合図で、固定電話からホテルにかけてもらったんです。彼女の声は、わたしよりずっと可愛らしい感じですから、わたしの声をあらかじめ音声ファイルにして、パソコンに入れておきました。竹脇を呼び出してほしいというセリフだけじゃなくて、『はい』とか『違います』とか、『ちょっと待ってください』とか、必要になりそうなセリフは網羅しておきました」

「でも、最初の電話では、ホテルのフロントだけじゃなくて、竹脇さんとも話したんでしょう？」

純子が、訊ねる。

「あの男の部屋に繋《つな》がると、『二、三十分で行くから、待ってて』というセリフだけ聞かせて、すぐに切ったんです」

奈穂子は、よどみなく説明する。

「一番の難関は、あの部屋に入るまでだと思っていました。あの時間帯なら、ほかの部屋の客に遭う可能性は低いと思っていましたが、帽子とサングラス、マスクで変装してましたから、万が一目撃されても、顔は割れないはずでした」

その時の緊張を思い出したのか、奈穂子は、厳しい表情に変わる。

「あの男は、わたしの恰好《かっこう》を見ても、不審には思わなかったはずです。ホテルに行くときは、いつも顔を隠していましたから。それどころか、呼びつけられる前にわたしが自分から行ったので、嬉《うれ》しそうな顔をしていました」

侮蔑《ぶべつ》に、口元を歪《ゆが》める。

「包丁は、大きめのトートバッグに入れて、いつでも出せる状態でしたから、あの男が後ろを向いたとたん、腰だめに構えて、体当たりして刺しました。包丁は根本まで突き刺さり、あの男は、ばったりと倒れると、動かなくなりました。血が徐々に流れ出し、絨毯《じゅうたん》が真っ赤に染まって……死んだと確信しました。少なくとも、これで死ぬのは時間の問題だろうと。返り血もほとんど浴びずにすみましたし、手袋をしてましたから、包丁に指紋は付いていません。頭をすっぽりと覆う帽子をかぶってましたから、あの部屋には、髪の毛一本落とさなかったはずです」

奈穂子は、震える息を吐き出した。

「とにかく、早く、その場から立ち去らなきゃと思いました。わたしは、机の上にあった黒いケータイを取り、それが、『システム』専用だったわたしのケータイであることを確認しました。それから、キーを持って部屋を出ると、ドアに施錠し、エレベーターに向かいました。その間、誰にも行き合いませんでした」

早口に喋《しゃべ》ってから、奈穂子は、大きく溜《た》め息をつく。

「その後のことは、榎本さんがおっしゃったとおりです。ホテルを出る直前になって、ふと頭の中に映像がよみがえりました。机の上にあったマグネット盤です。それが竜王戦の盤面だったことに気づいて、あわてて戻りました。あの部屋にケータイがあったと疑われると、まずいことになります。それで、盤面を少し変えて、あの男が順位戦で指した将棋の局面にしようと思いました。その局面も瞬時に思いついたんですが……」

かすかに頭を振り、奈穂子は瞑目《めいもく》した。

「鍵《かぎ》を開けても、ドアが開きませんでした。死体が邪魔をしてたんです。それでようやく、あの男が即死していなかったことに気がつきました。それでも、必死にドアを押して死体を押しのけたんですが、チェーンがかかっているのがわかったときには、心底愕然《がくぜん》としました。一瞬、ドアを蹴破《けやぶ》ろうかとさえ思ったんですが、大きな音がするはずですし、死体が邪魔になるので、さすがに断念しました。わたしは、再度ドアに施錠して、そこから立ち去ると、真理ちゃんに連絡して、手筈《てはず》通りホテルに二度目の電話をしてもらいました。誰もあの盤面に気づかないことだけを祈りながら……。でも、そううまくはいきませんでした。やっぱり、詰めが甘い癖っていうのは、なかなか直らないものですね」

うっすら笑みを浮かべて自嘲《じちよう》する奈穂子の表情は、まるで敗れた将棋の感想戦をしているかのようだった。

「だけど、これだけは言っておきたいんです。わたしは、けっして、あの男に負けたんじゃありません。あの男はただ、平常心を失って細部にまで気を配らなかった、わたしのポカに乗じただけです」

その瞬間だけは、彼女の生来の負けん気の強さが、迸《ほとばし》ったようだった。

「わたしは、毒島竜王に負けたんです。もし1六桂打ちが、あんな絶妙手でさえなかったら、青砥先生がおっしゃったように、あの男が、チェックインする前に見た局面から、たまたま思いついた手を検討していたと思われたはずですから」

奈穂子が、化粧を直すために退席すると、純子は、榎本を睨《にら》んだ。

「どういうことですか？　こんな話になるなんて、全然、聞いてなかったわ」

「すみません。白紙の状態で聞いていただいた方が、いいかと思ったものですから」

「白紙の状態ねえ……彼女、だいじょうぶかしら？」

純子の表情は、トイレに立った奈穂子を気遣うものに変わった。

「だいじょうぶですよ。プロの勝負師というのは、どうにもならないと納得したときには、悪あがきはしないものです。どうか、彼女の弁護を、よろしくお願いします」

「なぜ、あなたから頼まれるのか、よくわかりませんけどね」

純子の目には、いつになく険があるようだ。榎本は、咳払《せきばら》いをした。

「それにしても、あそこまで追い詰める必要があったんですか？」

「自首の踏ん切りを付けるためには、彼女に、負けを悟ってもらわなければなりませんでしたから」

「榎本さんとしては珍しく、ずいぶん、論理に飛躍も多かったですし」

「そうですか？　たしかに、現時点では証明が困難な部分はありましたが、推論の道筋自体は、ごくオーソドックスだったと思いますよ」

「一番飛躍していると思ったのは、殺人と『システム』との関係です。なぜ、彼女が、不正を行っていた当事者だとわかったのか、まるで根拠に乏しいじゃないですか？　勘で何となく当たりを付けて、棋譜を分析することで容疑を裏付けるというのは、ほとんど警察の手法ですよね」

「別に、勘というわけじゃありませんよ」

榎本は、苦笑した。

「中野四段から聞いた話で、来栖さんが、竹脇五段から脅迫を受けていたことを確信できたんです。だとすれば、彼女が、不正の当事者だということも、容易に想像が付きます」

「あの、竹脇が、携帯を見せびらかしてたっていう話？」

一応は被害者なのだが、もはや、完全に呼び捨てになっていた。

「ええ。三人の席で不正をしたというのが、竹脇五段という人間の陰険さでしょうね。第三者にも、不正の証拠である携帯電話を見せることで、心理的にプレッシャーをかける。……脅迫されているのが中野四段だったとは、思えませんでした。もしそうなら、わざわざ、そんな話を、私にすることはないはずですから」

「でも、それだけで、どうして、脅迫だって断定できるの？　だって、本当に、ただ、携帯を見せびらかしてただけかもしれないでしょう？」

「携帯電話だけなら、そうでしょう。しかし、そこに、『爆笑ものの手製のストラップ』が付くと、話は変わってきます」

「ええと、何でしたっけ……将棋盤の脚？　それに、何か意味があるんですか？」

「将棋盤には、いろいろと意味があるんですよ。たとえば、盤の裏側には、四角い窪《くぼ》みが穿《うが》たれてるんですが、その意味はご存じですか？」

「全然、知りません」

「真剣勝負の際に、最も忌むべきものは、第三者の助言です。このため、盤の裏の窪みは、助言者の首を刎《は》ねて置く『血溜まり』だという俗説があるんです」

「冗談でしょう?」

「そういう言い伝えがあるのは本当です。実際には、駒を打ったときの響きを良くしたり、盤が乾燥して割れないようにするためのものらしいですがね。……将棋盤の脚にも、実は、まったく同じ意味があるんですよ。こちらは、梔子《くちなし》の実を象《かたど》ったものなんです」

純子は、まだ、狐につままれたような顔をしていた。

「わかりませんか? 梔子は、『口無し』に通じるんです。それを携帯電話のストラップにしたのは、秘密は封印してやるという意味だったんですよ」

※日本将棋連盟および竜王戦は、実在する団体と棋戦の名前をお借りしました。また、チェスの歴史に関する記述は、おおむね事実に基づいています。ただし、それ以外の人物・事件等については、すべてフィクションであり、現存するいかなる個人・団体とも無関係です。

犬のみぞ知る　Dog knows

1

「わたし、もしかすると、殺人事件の容疑者になるかもしれないんです」

松本《まつもと》さやかが、眉宇《びう》に深い憂いを滲《にじ》ませて言った。

「どういうことですか？」

思いがけない言葉に、純子《じゅんこ》は、仰天した。電話を受けたときは、恋愛がらみの法律相談ぐらいに想像していたので、まさか、そこまでヘビーな内容だとは、思ってもみなかったのだ。

「わたしが所属している劇団『土性骨《どしょっぽね》』のことは、青砥《あおと》先生も、ご存じですよね？　以前、チケットを買っていただきましたし」

この前会ったときは、さやかの肩書きは、大手介護会社の副社長秘書だった。小劇団の女優と二足のわらじを履いていたのである。その会社の社長が、密室で殺害されるという事件が起こり、ほんの一時だが、純子は、彼女を容疑者の一人として考えたこともあった。

その後、真犯人が判明し、さやかは、舞台女優の夢に賭《か》けるために会社を去ったと聞いていたが、こんな形で再会するとは、予想もしていなかった。

過去に、ここレスキュー法律事務所を訪れた中で、これほど美貌《びぼう》の依頼人は記憶にない。ジーンズにトレーナーというラフな恰好《かっこう》で、ほとんどすっぴんにもかかわらず、同性でも、つい見とれてしまうほどである。

「あのお芝居は、何て言うか……非常に印象的だったわ」

純子は、記憶をたぐりながら言う。憶《おぼ》えているのは、無意味なほどマッチョな男たちが、意味不明に暴れ回る舞台と、所在なげに佇《たたず》む清楚《せいそ》な美女、さやかとのミスマッチぶりだけだった。

「でも、殺人事件って、いったい何が起こったの？」

「三日前の深夜に、座長が、自宅で殺されたんです。昨日の夕刊に、記事が出てたんですけど」

「そうなの？　気がつかなかったわ」

「劇団のことは、ほとんど書かれていませんでしたから」

さやかが、ハンドバッグから、新聞の切り抜きを取り出した。まったくのベタ記事で、『血尿十番勝負』や『ガッツvs.ガッティ』などの芝居で知られる劇団『土性骨』を主宰する中田実《なかだみのる》さん（四十二歳）が、自宅で撲殺されているのが発見されたとだけ報じられている。純子は、思い出そうとしてみたが、その名前には何の記憶もなかった。

「この、中田さんっていう方が、座長でしたっけ？」

さやかは、うなずいた。

「先生がご覧になった『セントエルモの根性焼き』にも、出演してたはずなんですけど。芸名とおんなじ、ヘクター釜千代《かまちよ》っていう役で」

「ああ。あの……」

何と表現すべきかと、純子は迷った。化け物。妖怪《ようかい》。地球外生物。たぶん、どれもNGワードだろう。

「あの、非常に個性的な役者さんね。あの人が、殺されたんですか？」

「ええ」

さやかは、目を伏せた。

「新聞には撲殺と書いてあるけど、凶器は何だったんですか？」

「お酒の一升瓶です。指紋とかは拭《ふ》き取られてたんですけど、血痕《けっこん》が残ってたって」

「ほかに、犯人の遺留品はなかったの？」

「特になかったみたいです」

「じゃあ、まだ、被疑者も特定されてないのね？」

「でも、犯人は、たぶん飛鳥寺《あすかでら》さんだと思います」

さやかが、あっさり答えたので、純子は、呆気《あっけ》にとられた。

「誰ですか、それは？」

「飛鳥寺鳳也《ほうや》。主に二枚目役をやってる、うちの劇団の看板男優です」

前に見た芝居には、二枚目など、一人も出てなかったはずだが。純子の疑問を読み取ったように、さやかが補足する。

「『根性焼き』では、刑事役でしたけど、ハゲ鬘《づら》に瓶底眼鏡の、変なメイクをさせられてましたから。でも、最近では、徐々に注目されてきて、おばさんの追っかけもいますし、端役でテレビに出たりもしてるんです」

「……それで、その飛鳥寺さんが犯人だというのは、どうして？」

「ヘクターさんの死亡推定時刻は午前一時から三時の間だったんですけど、その晩の午前一時ごろに、知り合いのミニコミ誌の記者が自宅に電話をかけていて、数分間、話してるんです。そのとき、ヘクターさんは、今劇団のやつが来てて一緒に飲んでるんだって、一杯機嫌で言ったそうなんです」

「じゃあ、犯人は、劇団員の誰かっていうことなの？」

「ええ。たぶん。でも、そのとき、ほとんどの劇団員には、しっかりしたアリバイがありました」

「ほとんど？　だって、深夜だったんでしょう？」

「ほぼ全員、アルバイト中でしたから。警備員とか、漫画喫茶やコンビニの店員なんかで」

劇団員の生活は、今も昔も苦しいものらしい。

「結局、アリバイがなかったのは、三人だけだったんです。わたしと飛鳥寺さん、それに、力八嚪《りき・はつとん》さんです。力さんは、主に荒事《あらごと》担当で、『土性骨』の人気男優の一人なんです」

あの芝居から荒事を除くと、何も残らないと思うが。

「すると、あなたを除くと、飛鳥寺鳳也さんと力八嚪さんの二人が、容疑者というわけね。

飛鳥寺さんが犯人だと思うのは、どうして？」

さやかは、戸惑ったような顔をした。

「ええと……何となくですけど」

「何となく？」

「力さんは、いい人ですから」

飛鳥寺さんは、あまりいい人でもないということなのか。

「それに、飛鳥寺さんは、ヘクターさんの遺体の第一発見者なんです」

たしかに、遺体の第一発見者を疑えというのは、殺人事件の鉄則である。あまりそんな話が広まると、誰も遺体の発見を届け出てくれなくなるので、警察も、おおっぴらには言わないが。

「じゃあ、まず、第一発見者である飛鳥寺さん、それから、力さんが容疑者になるんじゃない？」

撲殺という殺害方法から見ても、さやかが疑われる順番は、ずっと後ではないのか。

「……それが、警察は、二人とも犯人じゃないって思ってるらしいんです」

「どうして？」

「座長、ヘクター釜千代さんは、自宅に番犬を飼ってたんです。呑龍号《どんりゅうごう》っていう名前で、知らない人が近づくと必ず吠《ほ》えるんですけど、知ってる人でも、たいがい吠えるんです。うちの劇団で、呑龍号が、なぜか最初から懐いて吠えなかったのは、わたしと力さんだけでした。吠える声がうるさいって、しょっちゅう近所から苦情が出てるらしいんですが、ヘクターさんが殺された晩、呑龍号は、まったく吠えなかったそうなんです」

「つまり、飛鳥寺さんは、その晩、ヘクターさんの家を訪ねていないってことね」

何だか、安易すぎる推理のような気もする。

「ちょっと待って。変じゃない。だって、あなたは、飛鳥寺さんは遺体の第一発見者だと言わなかった？」

「ええ。でも、飛鳥寺さんが、ヘクター釜千代さんの遺体を発見したのは、翌日の晩だったんです。そのときも、呑龍号がものすごく吠えたんですが、あんまりうるさかったんで、近所の人が見に行ったらしいんです。そうしたら、遺体を発見した飛鳥寺さんが、家から飛び出してきて、呑龍号に襲われ、庭中を逃げ回っていたところだったそうです。結局、飛鳥寺さんは、お尻《しり》に噛《か》み付かれて、七針も縫っています」

純子の脳裏には、怪物のような猛犬の姿が浮かんだ。

「でも、家の鍵《かぎ》は、開いてたの？」

「そういうことみたいです」

「……じゃあ、その、力さんが犯人だったんじゃない？　犬も懐いてるんだったら」

「それが、力八幡さんは、特定の種類の犬の毛にひどいアレルギーがあって、呑龍号が近づいただけでぶつぶつが出るくらいなんです。最初に呑龍号に会って可愛《かわい》がったときは、ひどいことになってました。呑龍号は、ヘクター家の敷地内で放し飼いになってますから、玄関に行くまでに臭いを嗅《か》ぎつけて、喜んで飛びついてきます。そうなると、ドーランを塗っても隠せないくらいひどい発疹《はっしん》が出て、その後何日も残るんです。だから、事件の後、力さんが何ともなかったのは、その晩、ヘクターさんの家に近づいていない証拠だって」

それも何だか、説得力があるような、ないような不在証明《アリバイ》だった。

「でも、いくら何でも、消去法であなたたっていうのは、乱暴すぎるわね。だって、清酒の一升瓶で撲殺したんでしょう？」

「ええ。遺体の目玉が飛び出るくらいの力だったみたいですね」

「そんなこと、あなたにできるとは思えないもの」

「でも、たぶん、やってやれないこともないと思います」

さやかは、遠慮がちに言う。

「えっ？」

「わたし、こう見えても、身体を鍛えてるんです。うちのお芝居は、体力勝負ですから。最近は、筋力トレーニング以外に、コマンドサンボとグレイシー柔術を習ってます」

努力の方向が間違っているような気がするが、事実ならしかたがない。

「その晩、あなたが何をしてたか、訊《き》いてもいい？」

「わたしは、一晩中、親しい……お友達と一緒にいました。でも、ごめんなさい。そのことは、あまり言いたくないんです」

さやかは、顔を伏せて、急にもじもじとし始めた。

それで、警察にアリバイを申告できないでいるのかと、純子には合点がいった。もしかすると、不倫関係かもしれないが、ここは突っ込むところではないだろう。

「状況は、だいたい、わかったわ。それにしても、あなたは、まだ重要参考人にもなってないんでしょう？ その段階で、弁護士に相談しようと思ったのはなぜ？」

「弁護士というより、青砥先生に相談しようと思ったんです。そうすれば、わたしが疑われる前に、事件が解決するんじゃないかと思って」

「どういうことですか？」

「犯人は、やっぱり、劇団員だったという可能性が高いと思うんです。警察も、容疑者を劇団員に絞り込んでるみたいですし。だとすると、飛鳥寺さんか力さんの、どちらかということになりますけど、現場には、呑龍号がいたから、二人とも近づけたとは思えない。つまり、これは、一種の密室じゃないかと……」

また、密室。頭が、くらくらした。これから、そんな仕事ばかり来るようになったら、どうしよう。

「わかりました。どうせ、あなたを弁護することになるのなら、たまには、警察の先手を取るのも面白そうね。とりあえず、調べてみましょうか」

「ありがとうございます！」

さやかは、心の底から嬉《うれ》しそうに言う。

「わたし、これから、呑龍号に餌をやりに行かなきゃならないんです。もし、よければ、青砥先生もいらっしゃいませんか？　現場を見るという意味で」

「その、呑龍号は、まだ、亡くなったヘクターさんの家にいるの？」

「ええ。家には、もう誰もいないんですが、今のところ、引き取り手もなくて」

「そう。じゃあ、とにかく行ってみましょう」

そう言ってから、純子は、ふと疑心暗鬼に駆られて念を押す。

「ところで、その呑龍号のことなんだけど、たしかに犬なのね？」

さやかは、ぽかんとした顔になった。

「そうですけど」

「まさか、牙《きば》が黒いとか、肢《あし》がたくさんあるとか、そういうことはないでしょうね？」

さやかの表情に、かすかな恐怖の影がさす。

「先生。それは、いったい……？」

「ううん。本物の犬だったらいいのよ。気にしないで」

2

現場は、東京の郊外にあるニュータウンで、ほどほどの大きさの家が建ち並ぶ住宅地の外れにあった。近所の目は、あるようでない場所である。ヘクター釜千代こと中田実氏の自宅は、どこにでもある二階建ての2×4《ツー・バイ・フォー》住宅だったが、庭は比較的広かった。門扉の前には黄色いテープが渡されているが、警官の姿もなく、三日前に殺人事件があったことを窺《うかが》わせるようなものは、何もなかった。

さやかは、格子状になった黒い鋳鉄の門扉を開け、テープの下をくぐり抜ける。すると、庭の奥から一匹の犬が猛ダッシュしてきた。

「呑龍号。おすわり。おすわり。おすわり！　待て。待て。待て！　待てって言ってるのに、もう」

縫いぐるみのような白い小型犬は、まるで躾《しつけ》ができていないらしく、さやかの足下で、じゃれたり跳ね回ったりした。

それから、純子の方に目を移したとたん、一転して歯を剝《む》き出し、アライグマのような声で唸《うな》る。

「……あの、これが、呑龍号？」

「ええ。可愛いでしょう？」

こんなちっぽけな犬に、はたして番犬の役目ができるのかと思うが、人が来るたびに、これだけ吠えたり唸ったりするなら、警報装置の代わりにはなりそうだ。

呑龍号は、純子に向かって、さかんに吠え立てる。

「どうも、呑龍号には、すっかり嫌われちゃったみたいね」

「いえいえ。この程度なら、第一印象としては、かなりいい部類だと思いますよ」

さやかは、前庭の奥から、金属製のエサ皿を持ってきた。持ってきたドッグフードを、ざらざらと音を立ててエサ皿に入れる。

「待て。待て。待て！　ああん、もう……」

呑龍号は、腹が減っていたらしく、猛獣のような勢いで餌を平らげていった。

「……たしかに、この家の造りだったら、呑龍号に吠えられたり、飛びつかれたりせずに、玄関に近づくことは不可能みたいね」

門扉から家の玄関まで、4、5mのアプローチには黄色い煉瓦《れんが》が敷き詰められ、庭は芝生だった。どこを通っても、呑龍号が鎖で繋《つな》がれてなければ、避ける方法があるとは思えない。裏手の庭は、幅が2mもないだろうが、やはり、窓から侵入する前に、呑龍号が飛んで来るだろう。

見たところ、飛鳥寺鳳也と力八幁のアリバイは、完全に成立しているようだった。

「遺体があったのは、どこだったの？」

「一階の居間です。玄関には鍵がかかってるんですけど、窓からなら覗《のぞ》けますよ。ご覧になりますか？」

純子は、歯を剝き出している小型犬を見た。

「うーん……どうしようかな」

純子が逡巡《しゅんじゅん》しているとき、道の向こうからジャージー姿の男が近づいてくるのが見えた。身長は低いが、がっしりとした体格で血色がよく、薄い眉《まゆ》と細い目のあたりに、人の良さそうな感じが漂っている。

「力さん！　どうしたんですか？」

さやかが、気がついて、手を振る。この男が、力八噸らしい。

「うん。左《ひだり》さんが、こっちに来てるはずなんだよ。早く次の脚本《ほん》を上げてくれないと、稽《けい》古《こ》ができないのに、最後の幕だけ残して、急に新しいストーリーを思いついたとか言い出して、勝手にそっちの方の取材を始めちゃったみたいで」

力は、門扉のそばまで来たが、中には入ろうとしなかった。

それにしても、座長が殺害されて、まだ犯人もわかっていないというのに、劇団では、平然と次の公演の準備を進めているらしい。

「ええ？　あの話、本当に書くの？　いくら何でも、座長が殺された事件を、そのまま、お芝居にするなんて」

聞いていた純子は、開いた口が塞《ふさ》がらなかった。

「本当に、不謹慎だよな。ところで、こちらは、新しい女優さん？」

力は、純子を見て、嬉しそうに目を輝かせる。純子も、悪い気はしない。

「ああ。こちら、弁護士の青砥先生。……座長の事件で、わたしが疑われそうだったんで、来ていただいたの。特に、密室事件を得意にされてるのよ」

得意にはしてないって。

「へえ？　弁護士さんって、そんな専門分野があるんですね。俺、力八幀です」

力は、礼儀正しく頭を下げた。

「青砥です。別に、密室が専門ではありません。ところで、今の話、本当なんですか？今回の事件を、そのまま芝居の脚本にするって」

「そうなんですよ。困ったもんです」

「でも、まだ、犯人もわからないのに」

「ああ。犯人だったら、たぶん飛鳥寺です」

力は、こともなげに答えた。

「どうして、そう思うんですか？」

飛鳥寺鳳也という人物は、よっぽど人望がないのだろうか。

「だって、犯人は、劇団員の誰かみたいじゃないすか？　アリバイがないのは三人だけだけど、俺じゃないし、さやかちゃんのわけもないから、残りは飛鳥寺だけっすよ」

理屈はわかるが、犬に関する話は知らないのか、それとも、思い切りよく無視しているようだ。

「……こんなこと、訊《き》いていいのかどうか、よくわからないんですけど、飛鳥寺さんには、ヘクター釜千代さんを殺害する動機があったんでしょうか？」

純子は、おそるおそる訊《たず》ねてみたが、力は、力強く即答した。

「ありますあります。飛鳥寺は、かねがね、テレビの仕事をしたいと思ってたんですよ」

「そうなんだ？」と、さやか。

「そうそう。けっこう、メジャーなオファーも来てるんだよ。うどんつゆや健康ランドのCMとか。それに、ドラマ出演の話も」

「えっ、ドラマ？　すごーい」

「それも、キー局の連ドラで、主人公がよく行く喫茶店のマスターっていう重要な役だよ。三週に一回は登場するし、セリフもあるらしい。それが、毎回、同じセリフで……」

「えーと、すみません。飛鳥寺さんがテレビの仕事をしようとしていたのはわかりますが、そのために、ヘクター釜千代さんが障害になってたんですか？」

純子は、話を引き戻した。

「そうなんですよ。座長は、絶対に許さんって言ってました。劇団の芝居がおろそかになるっていう以外に、やっぱり嫉妬《しっと》もあったんじゃないですかね」

「でも、それなら、飛鳥寺さんは、劇団を辞めればよかったんじゃないですか？」

「それが、そうもいかなかったんすよ。座長に、弱みを握られてたもんで」

「弱み？」

「そうそう。前に、打ち上げで地方の温泉に行ったんですけど、みんな酒癖が悪いから、川原で騒いでるとき、地回りのちんぴらと喧嘩《けんか》になったんですよ。そのとき、飛鳥寺は、一升瓶で、そいつを殴り殺しちゃって」

「ええっ？」

「そのまま、車で逃げたから、事件は未解決のままなんです。それで、座長は、飛鳥寺をときどき脅迫してたみたいですね」

力は、気楽な世間話のような調子で言う。この男は、冗談を言ったのか。それとも……。今聞いた話をどう処理すればいいのか、純子は、真剣に考え込んだ。

「あっ。左さん！　こっちです！」

力が、手を上げた。彼の視線の方向を見ると、見上げるような長身の女性がやって来るのが見えた。カウチンセーターにジーンズのスカートという、かまわない恰好《かっこう》をしている。

「力君。さやかちゃんも。ここで、何してるの？」

「何じゃないですよ。左さんこそ、次の脚本《ほん》をほったらかしにして、何やってんすか？」

「うーん。でも、急に、こっちの話のインスピレーションが湧いたのよ。そういう時って、一気にやっとかないとね。それで、もう一度、現場を確認に来たんだ」

左という女性は、のっそりと門のそばまで近づいてきた。顎《あご》の張った男性的な顔立ちで、スーパーマンに似ていた。その場にいる誰と比べても、頭一つ大きい。

「左さん。こちら、弁護士の青砥先生です」

さやかが、紹介する
「ああ、どうも。わたし、こういうものです」

差し出された名刺には肩書きはなく、墨痕《ぼっこん》黒々と『左栗痴子《くりちこ》』とだけ書かれていた。もう一枚は、芝居のチラシだった。それに脚本家として名前があるところを見ると、劇団『土性骨』の座付き作家らしい。

「左さんは、座長さんが亡くなった事件を書かれてるって、伺いましたけど？」

純子は、質問をぶつけてみた。

「そうなんです。面白い事件だし、まだホットなうちに、何とか形にしたくてね」

純子は、一瞬、彼女が『面白い』と言ったのは聞き違いかと思った。

「でも、まだ解決していないし、犯人もわからないのに……」

「犯人は、たぶん飛鳥寺君ですよ。一応、そういう前提で書いてます。万が一違ってたら、全部書き直さなきゃならないけど」

左栗痴子は、はっはっはと豪快に笑った。

「何せ、彼には、動機があるからね」

「その話は、伺いましたけど……」

「今度やる芝居の話も？」

「芝居ですか？　いいえ、それはまだ……」

「そのチラシの『犬《いぬ》B《バ》O《ウ》W埼《ざき》』っていう芝居です。経営者が夜逃げしたペットショップに閉じこめられていたチワワが、飢えのために凶暴化して人を襲うというホラーなんですけどね、舞台に犬を上げるんです。それも、二十四以上。飛鳥寺君は、病的な犬嫌いでね。ちっこい犬でも、面白いくらいに怖がる。それを、時にはストーリーから逸脱しながら、みんなでからかって苛《いじ》めるのが、この芝居の眼目なんですよ」

「それはまた……ずいぶんと悪趣味ですね」

純子は、チラシのイラストに目を落とした。数十匹の犬が群がって、一人の登場人物に噛《か》み付いている。

「うん。全部、座長のアイデアで、わたしは、それをストーリーに仕上げただけなんですけどね。飛鳥寺君は、可哀想に、死ぬほど鬱《うつ》になってましたよ」

純子は、ふと思いついて、力に向かって訊ねた。

「だけど、あなただって、犬アレルギーなんじゃないんですか？」

「そうそう。だから、俺も座長を殺す動機は、大ありだったっすね」

力と左は、顔を見合わせて大笑いした。

「……ただ、犬アレルギーっていうのは、犬の種類で、だいぶ違うんですよ。舞台に上げるのは、ほとんどがチワワなんですが、こいつらは、だいじょうぶなんです。困るのは、毛が長い犬で、特に呑龍号みたいなスピッツっすね」

見たことのある種類の犬だと思っていたが、純子の中では、スピッツという名前が出てこなかった。そういえば、昔は人気のある犬種だったらしいが、最近では、ほとんど見かけないようだ。

「でも、『犬BOW埼』、本当に上演するんですか？　だって、座長もいなくなったし、飛鳥寺さんは、絶対嫌だって言うでしょう？」

さやかが、疑問を投げかける。

「だったら、わたしが今書いている方でもいいけど。だけど、本当に犯人だった場合は、座長を殺す話を演《や》るのは、どうなんだろうね？」

「迫真の演技だといいんすけど、飛鳥寺の場合、裏目に出ますからねえ。かえってわざとらしくなったりして」

左と力は、再び顔を見合わせて大笑いした。

力八噸は、ぽりぽりと顔を掻《か》いた。血色のいい頬に、いつのまにか小さな発疹《はっしん》ができている。門扉越しでも、漂う毛か何かでアレルギーは発症するらしい。犬アレルギーなのに、なぜか懐かれるというのも、辛《つら》いものがあるかもしれない。

「そんで、タイトルは、決まってるんすか？」

「『犬のみぞ知る』っていうのは、どうかと思うんだけど。『神のみぞ知る』〝God knows〟のもじりで、〝Dog knows〟ってわけ」

「犬が続きますねー。劇団『犬の骨』に改名しましょうか？」

さやかの言葉で、二人は爆笑する。純子は、咳払《せきばら》いをした。

「あの。飛鳥寺さんには、いろいろと動機があったのは、わかりましたけど……」

「あ。でも、あれ知ってる？　借金の話」

左栗痴子は、一方的にうち解けてきて、純子の肩に凭《もた》れかかりながら言う。

「いえ、知りません。何の話ですか？」

知るわけないでしょう。

「飛鳥寺君はね、公演資金が足りなくなったときとか、何だかんだで、ヘクター釜千代に三百万以上貸してるのよ。だけど、返してもらうあては、まったくなかった。あれって、最初っから、完璧《かんぺき》に踏み倒す予定だったのよね」

「座長は、借りたものは何でも、来世で返すからというのが口癖でした」

力が、しかつめらしくうなずく。

「でも、飛鳥寺君は、借用書だけはきちんと書かせてたみたいだから、ヘクターが死ねば回収できるわけね。釜千代のやつ、せこせこ小金を貯め込んでたのよ。一応、これだって持ち家だしね」

左栗痴子は、ヘクターの家をじろじろと眺めながら言う。

「あ。飛鳥寺さん！」

さやかが、明るい声を上げた。

「おーい。飛鳥寺」

「飛鳥寺君！　おいでー」

三人は、笑顔で手を振った。みな、大した根拠もないのに彼を犯人扱いしたことなど、忘れたかのようだった。飛鳥寺が不人気だというのは、誤解だったのだろうか。

「こんにちは。みなさん、お揃いでどうされたんですか？」

登場した飛鳥寺鳳也は、アルマーニ風のソフトスーツを着込んで、シックな葡萄茶《えびちゃ》色のネクタイを締めていた。さやかが看板男優だと言うだけあって、かなりの二枚目だった。どちらかというとラテン系の風貌《ふうぼう》だが、濃い眉《まゆ》とぱっちりした目元のせいで、とても誠実そうに見える。

「みんなでね、座長の冥福《めいふく》を祈ってたのよ」

左栗痴子が、白々しくも真っ赤な嘘を吐いた。

「そうですか。実は、僕もなんです」

飛鳥寺は、持ってきた花束を、門扉の前に置き、静かに合掌した。

すると、家の裏手から、白い閃光《せんこう》のようなものが飛び出してきた。ドッグフードを食べ終えた後、ふらりと姿を消していた、呑龍号だった。

門扉に閂《かんぬき》をかけていなかったために、半分開きかけていたが、間一髪で、内側にいたさやかが、門扉を閉めた。呑龍号は、高さ1・2mほどの門扉に激しく衝突すると、がりがりと爪の音を立てながらよじ登ろうとする。とても小型犬とは思えないような迫力だった。

飛鳥寺は、ひっという声を上げて、飛び退いた。ハンサムな顔に、見るも無惨な怯《おび》えが走っていた。逃げ腰になりながら、ポケットから小さなリモコンのようなものを取り出し、呑龍号に向けようとする。

「こらこら。そんなもん使わないの。だいじょうぶ。ここは、絶対乗り越えられないから」

左栗痴子が、飛鳥寺からリモコンを取り上げ、ぽんと頭を叩《たた》く。

呑龍号は、飛鳥寺に喰《く》いつくことができないと悟ったのか、牙《きば》を剝《む》いて唸《うな》り、吠《ほ》え立て始めた。その凄《すさ》まじさは、純子に対するものとは比較にならない。

「いやいや。よっぽど、君のこと嫌いみたいだね」

左栗痴子は、飛鳥寺に言う。

「僕は、昔っから、犬が大嫌いですから……」

飛鳥寺は、左栗痴子の大きな身体を盾にしながら、震え声で言った。

「こいつらは、怖がってる人間を見ると、かさにかかってくるんですよ。アドレナリンの臭いを嗅《か》ぎ分けてるんだ。そういうところが、よけいに嫌いなんです」

飛鳥寺は、こわごわ、呑龍号を見ていたが、ようやく純子に気がつくと、突然、背筋をしゃんと伸ばす。

「おや、こちらは?」

うって変わって、ダンディな物腰になっていた。

「弁護士の青砥先生です。わたしがお願いして、来ていただいたんです」

さやかが、自分の容疑を晴らすためであることを、説明する。

「そうなんですか。初めまして。飛鳥寺鳳也です」

純子をまっすぐに見つめながら、大半の女性なら蕩《とろ》けてしまうような笑みを浮かべて言う。その前に、小さな犬に死ぬほど怯えているところを見ていなければの話だが。

「さやかちゃんが犯人だなんてことは、絶対にあり得ません。そのことだけは、この僕が保証しますよ」

そのさやかちゃんから、犯人だと名指しされていることを知ったら、さぞ、ショックを受けることだろう。

「飛鳥寺さんのことは、みなさんから、いろいろお噂を聞いてたところです」

純子がそう言うと、飛鳥寺は、なぜか、急に顔を引きつらせた。

「それは違います！」

「は？」

いったい、何が違うというのだろう。

「そりゃあ、僕には、動機がありました。そのことは認めます。しかし、だからといって、座長を殺すなんてことは、あるわけないじゃないですか？　だいたい、一升瓶で人の頭を殴るなんて、そんなこと……しょっちゅうやるわけじゃありませんよ！」

その言い方だと、前にちんぴらを殴り殺したというのは本当かもしれない。

「あの、別に、飛鳥寺さんが犯人だとは……」

「待ってください！　僕のさやかさんに対する気持ちは、本物です！　天地神明に誓って。そのことだけは、信じてほしいんです。だから、座長がさやかさんを毒牙《どくが》にかけようとしていたのを知ったとき、どんな思いだったか。それで、どんなことをしても止めなければならないと思ったんです。それだけは、そんな真似だけは、絶対に許すことはできないと。だから……だから、僕は、この手で……座長を！」

飛鳥寺は、両の拳《こぶし》を握りしめて、天を仰ぐ。純子は、仰天した。この男は、今まさに、犯行を告白しようとしているのだろうか。四人は、固唾《かたず》を呑《の》んで、飛鳥寺の独演を見守っていた。

「……止めなきゃいけないとは思ったんですがね。まあ、どうしたもんかと思案しているうちに、あんなことになってしまったと、そういうようなわけです」

喋《しゃべ》ってる途中で気がついたらしく、飛鳥寺は、発言に急ブレーキをかけた。

それにしても、まだ別の動機があったとは。

「さやかちゃん。ヘクター釜千代さんは、あなたに言い寄ってたの？」

「言い寄るなんて……ただ、しょっちゅう、飲みに行こうとか、温泉に旅行に行こうとか誘われてただけですよ。もちろん、全部断りましたけど」

さやかは、じろりと飛鳥寺を見た。

「座長は、誰彼かまわなかったんです。そう言う飛鳥寺さんだって、けっこう、追いかけられてたでしょう？」

全員の視線が、飛鳥寺に集まった。飛鳥寺は、たじろいだが、すぐに威儀を正す。

「座長は、両刀だったんです」

眉間《みけん》に苦悩の皺《しわ》を刻みながら、重々しく言う。

「たぶん、もう、人間なら誰でもよかった。……力だって、誘いをかけられただろう?」

「誘われた誘われた」

力八嚊は、頬を掻《か》きむしりながら、嬉《うれ》しそうに言った。

「俺でもいいんだから、本当に、誰でもよかったんだろうな」

「わたし、誘われてない」

左栗痴子が、傷ついたような声でつぶやく。

「……とにかく、僕に動機があったことは、認めます。しかし、僕が犯人ということは、まず、ありませんよ!」

あまり有効な否定には、なっていないような気がする。

「あなたにだけは、そのことを信じてほしいんです」

飛鳥寺は、二、三歩、純子の方へにじり寄ろうとしたが、門扉の後ろから、呑龍号が、威嚇するように唸ると、あわてて飛び退《すさ》った。

「それは、何ですか?」

純子は、左栗痴子がさっき飛鳥寺から取り上げた、リモコンのようなものを指した。

「これ? 犬恐怖症の必需品らしいよ」

左栗痴子は、手にした物体を、無造作に放る。純子は、あわてて受け止めた。

長さは10㎝くらい。上面にボタンが一つだけ付いており、『K9キャンセラー』というロゴが描かれていた。先端部には、リモコンの赤外線発光部のような窓がある。

「超音波で犬を撃退する装置なんです。郵便配達や集金人の方たちは、躾《しつけ》の悪い狂犬どものために、日々どれほど苦労されているか、ご存じですか？　これは、そんな方たちのためにアメリカで開発された機械なんですよ」

飛鳥寺は、腕を組むと、遠くを眺めるような目でうそぶいた。この状況で恰好《かっこう》を付けられるというのは、一種の才能かもしれない。

純子は、いつのまにか、全員が、期待を込めた眼差《まなざ》しで自分を見ているのに気がついた。さて、困った。単に一匹の番犬がいるだけの状況とはいえ、いよいよ、密室の謎を解明しなければならない。

「わかりました」

純子は、腹を決めた。ここは、はったりで行くしかない。

「みなさん。謎は、すべて解けました！」

おおーっという、どよめきが起こる。ぱち、という拍手のフライングまで聞こえた。

「ただ、わたしの仮説を検証するためには、専門家の助けが必要です。ここへ呼ぶまで、しばらく待っていただけませんか？」

3

「……そうですね。かつて、犬は最強の防犯装置と謳《うた》われたこともありますが、実際は、餌で手なずけられない犬は、ほとんどいません」

榎本径《えのもとけい》は、門扉越しに、ビーフ・ジャーキーのようなものを一本ずつ呑龍号にやりながら、言う。

「たとえば、シベリアン・ハスキーやアラスカン・マラミュートなどはいい例で、外見は狼のように厳《いか》ついですが、もともと人口密度の低いところにいた犬ですから、人を見ると尻尾《しっぽ》を振って喜ぶんです。もちろん、泥棒だって大歓迎です」

呑龍号は、会ったばかりの榎本に、すっかり懐柔されており、尻尾を振って跳ね回る。ジャーキーの一片をもらうためだったら、教えられていない芸までしそうな勢いだった。その現金さには、呆《あき》れるのを通り越して、腹立たしくさえなってくる。

「じゃあ、信頼できる番犬って、いないんですか?」

純子は、眉《まゆ》をひそめて訊《たず》ねた。

「そうですね……。もちろん、犬種によって性格は違います。個人的には、ロトワイラーやブルテリアは苦手ですね。特に、ブルテリアは性格が悪くて、餌をもらうときは尻尾を振るくせに、こちらが油断して仕事にかかろうとすると、いきなり、がぶりと嚙《か》み付いてくることがありますから」

もはや、完全に泥棒の視点になっているのを、隠そうともしない。

「とはいえ、その手の犬でも、忍耐強く通って餌付《えづ》けをすれば、何とでもなります。もし、絶対に手なずけられない犬がいるとすれば、警察犬学校などでよほど訓練を積んだ犬か、チベタン・マスチフのように、あまりに凶暴すぎて飼うには向かない種類でしょう」

「……呑龍号は、あきらかに、そのどちらでもないわね」

純子は、榎本からジャーキーをもらって、呑龍号に与えてみた。愛嬌《あいきょう》たっぷりの態度と潤んだ目を見ると、さっき見た猛獣のような印象は、幻影だったとしか思えない。

「それで、謎は解けましたか？」

期待を込めて訊ねると、榎本は、ぽかんとした顔になった。

「……いや、それが、よくわからないんですが」

純子は、落胆した。二時間近くもお預けを喰《く》らわせていたが、劇団『土性骨』の面々は、路上で馬鹿話に興じながら謎解きを待っている。それなのに、期待した榎本に匙《さじ》を投げられてしまっては、困ったことになる。過去に彼が解き明かした密室に比べれば、簡単そうに思えたのだが、シンプルなだけに、かえって難問なのだろうか。

「榎本さんにも解けない密室って、あるんですね。わたしの方も、反省すべきなのかも。榎本さんに訊《き》けば何でも答えが出るような気がして、甘く考えてましたから……。でも、今回、そのわりには、調査のしかたが杜撰《ずさん》だったような気がするんですけど」

純子は、つい攻撃的な口調になっていた。

「信用を得るには長い時間がかかりますが、失うのは一瞬のようですね」

榎本は、苦笑する。

「犬も人間も、そのあたりは同じらしい」

「あなたは、そうやって諦《あきら》めてしまえばいいのかもしれませんけど、わたしは、さっき、密室の謎は解けたって大見得を切っちゃったんですよ？　彼らに、どう説明すればいいんですか？」

純子は、榎本に食ってかかる。てっきり、そんなことは知りませんと言われるかと思ったが、返ってきた答えは意外なものだった。

「いや、そうじゃないんです。私には、いったい何が謎なのか、わからないんですよ」

「はあ？」

純子は、二の句が継げなかった。

「犯人は、飛鳥寺だと思います。動機もしこたまありますし、酒癖が悪くて、以前にも、同じ手口で人を殺しているんですよね？　事件のあった晩、彼はヘクター釜千代を訪ね、口論になったあげく一升瓶で殴り殺してしまった。これは、純粋に、ただそれだけの事件ではないでしょうか？」

「……じゃあ、犬のことは、どう説明するんですか？」

「説明と言いますと？」

榎本は、とぼけた顔で訊き返してくる。純子は、大きく息を吸い込んでから、辛抱強く説明した。

「飛鳥寺が犯人だと仮定すると、不可解なことがあるじゃないですか？　彼は、以前から、呑龍号と相性が悪く、ひどく吠《ほ》えられるのが常だったようです。現に、事件の次の晩に、ヘクター釜千代氏の遺体を発見したときも、さんざん吠え立てられた上に、お尻《しり》に嚙み付かれている。それが、どうして、事件当夜にかぎっては、まったく吠えられなかったんでしょうか？」

「ええと……何か、ごくごく単純な錯覚をされてるようなんですが」

榎本は、頭を搔いた。

「そういうふうにまとめてしまうと、まるで、何か不思議なことがあったような気になりますが、普通に考えれば……」

「お話し中、失礼」

突然、割り込んできたのは、左栗痴子だった。

「どうしたんですか？」

純子は、呆気《あっけ》にとられた。榎本が家の周りを調べている間、ちょっと離れた路上から、しきりに馬鹿話に興じている声が聞こえていたが、今は、なぜか深刻な表情になっている。

「いや、たった今ですが、事件に関する重要な情報を入手したので、お耳に入れておこうかと思った次第です」

左栗痴子は、あらたまった調子で言う。榎本は、珍獣を見る小学生のような目で彼女を見上げていた。

「重要な情報って、どんなことですか？」

純子は、訊ねた。たった今聞いたとすれば、馬鹿話で大笑いしている最中にということになる。

「実は、この事件は、見た目よりはるかに奥が深いことがわかりました。その根底には、秘められた動機があったようなんです」

「動機？　いったい誰のですか」

左栗痴子は、馬鹿なことを訊くものだという表情になった。

「もちろん、飛鳥寺君のですよ」

純子は、口をあんぐりと開けた。

「ええと、もう、充分かと思うんですが」

「充分？　どういうことです？」

「つまり、かりに飛鳥寺さんが犯人だとしても、すでに充分な動機があることはわかっていますから……」

「これは、妙なことをおっしゃる」

左栗痴子は、顔をしかめた。

「動機とは、質より量ですか？」

「あの、言われる意味がよく……」

「これだけ動機があれば充分だなんて、まるで警察の言いぐさではありませんか。調書を書くのに動機の欄が空白になっちゃうから、何か埋め草があればＯＫみたいな？　しかし、真実の動機は、どんな場合も一つのはずです。私は、それを突き止めることは、けっして無意味ではないと信じるのです。それは、人間性なるものに対する文学的な探究であるにとどまらず、動機の内容によっては、量刑にさえも影響を及ぼすだろうと思うのですが、いかがですか？」

一応は正論なので、純子は、たじたじとなった。

「おっしゃることは、よくわかります。わたしも、もちろん、事件の真相、本当の動機を知りたいという思いはあるのですが……つまり」

「それはよかった。話は、終戦直後にまで遡《さかのぼ》ります」

左栗痴子は、勝手に話を始めてしまう。そんなに遡るのかとうんざりしたが、純子は、傾聴するしかなくなってしまった。

「……というわけなのです」

左栗痴子は、五分間、滔々《とうとう》と語り続けてから締めくくった。

「げに恐ろしきは、人の世の因縁と申せましょうか」

いつのまにか、語り口調まで変になっている。

「……ええと、要するに、ヘクター釜千代さんのお父さんと、飛鳥寺鳳也さんの伯父《おじ》さんが、実の兄弟であったかもしれないということですか？」

純子は、混乱した頭を整理しながら言った。その場合、二人の続柄はどうなるのだろう。ちょっと待って。伯父さんの兄弟だったら、その人も当然、伯父さんか叔父《おじ》さんということになり、その子供とは従兄弟《いとこ》同士ということになるんじゃ……。何だか、故意に説明をわかりにくくしているような気がする。

「それだけではないのです。今、話したとおり、飛鳥寺君のお姉さんは養子だったのですが、これが、釜千代の母親が不倫の果てに産んだ娘であった公算が大なのです」

左栗痴子は、いったい何を聞いていたんだという顔で言う。

「さらに、繰り返しになりますが、飛鳥寺君の母上が亡くなった直接の原因は、なんと、釜千代の家の本家筋に当たる大伯母《おおおば》の差し金で……」

「いや、その、だいたいのところはわかりました」

本当は、全然頭に入っていなかったが、純子は、左栗痴子がもう一度最初から長い話を語り直す前に、押しとどめた。

「その話は、どこからお聞きになったんですか？」

「たった今、飛鳥寺君本人から聴取しました」

左栗痴子は、重々しく言う。

「これは、事実上の自白と考えてもいいと思います」

そんなことはないと思う。

「では、わたしはこれで。また何かつかんだら、お話しすることにしましょう」

もうけっこうですと言うわけにもいかず、純子は、キリンのような後ろ姿を見送った。

左栗痴子が劇団員の輪に戻ると、何を話しているのか、再び爆笑が起きる。

純子は、溜《た》め息をついた。関係者がこんな連中ばかりだったら、人間より犬に訊《き》いた方が、たしかな証言が得られるかもしれないと思う。そのため、榎本が到着する前に、犬好きの知人の家に立ち寄り、秘密兵器を借りてきたのだ。

「いやいや、ご愁傷様です。これでは、人より犬に訊いた方が、まともな証言を得られるかもしれませんね」

純子は、ちょうどバッグから秘密兵器を取り出すところだったが、榎本に心を見透かされたような気がして、ぴたりと手を止めた。

「そういえば、数年前に、こんな事件がありましたね。たしか韓国だったと思いますが、住宅街で、殺人放火事件が起こったんです。捜査は難航し、警察が最後に目を付けたのは、被害にあった家の飼い犬でした。この犬が犯人を目撃したに違いないと考えた捜査官は、犬にバウリンガルを付け、容疑者の面通しをさせようとしたんです。バウリンガルというのは、ご存じですか？」

「……何となく、聞いたことはあるような気がします」

純子は、素知らぬ顔で答える。

「日本のメーカーが作った、犬の言葉を翻訳するという玩具《おもちゃ》です。犬の鳴き声を聞かせると、画面に『おなかがすいたよ』とか『遊ぼうよ』などという言葉が出てくるんですね。

しかし、いくら焼きが回ったからといって、それを捜査に使おうというのは、大笑い……

おや、そこに持ってるのは、何ですか？」

「何でもありません」

純子は、咳払《せきばら》いをすると、バッグからコンパクトを出して、髪を直した。

4

『おなかがすいたよ』

『おなかがすいたよ』

『おなかがすいたよ』

榎本の目を盗みつつ、呑龍号の鳴き声をこっそりバウリンガルで翻訳させてみたものの、何度やっても、同じメッセージしか出てこなかった。

もう本当に、どれだけ食べれば気が済むの。こんなちっぽけな犬に、なぜ呑龍号なんていう名前が付いているのかは納得できたけど、そんなことがわかっても、事件の解決には、全然役に立たない。

「何をしてるんですか？」

背後から榎本の声が聞こえ、純子は、飛び上がりそうになった。

「ええと……やっぱり、この事件の鍵《かぎ》を握るのは、この呑龍号だと思ったので。ちょっと、観察を」

「それで、何かわかりましたか？」

余裕綽々《しゃくしゃく》の態度が、気に障る。

「うーん、そうですね。やっぱり、シンプルに考えた方がいいんじゃないかと」

純子は、榎本に見られないように、バウリンガルを、こっそりバッグにしまった。

「賛成です。それで、シンプルに考えると、どうなりました？」

純子は、瞑目《めいもく》する。すると、天からインスピレーションが降りてきた。

「シンプル……そう！　アリバイは、シンプルなものほど、強力だと思うんです」

「はあ……」

「呑龍号に関しては、二つのアリバイが主張されてるでしょう？　まず、飛鳥寺鳳也氏は、現場にいれば犬に吠《ほ》えられたはずだということ。そして、力八幯氏の方は、犬の毛のアレルギーが出たはずだという。このうち、犬に吠えられなかったというのは、シンプルだけど、それだけに信頼が置けるアリバイだと思うんです。力八幯氏の場合は、そうじゃない。何らかの細工をする余地があったんじゃないでしょうか」

「どんな細工ができたんでしょうか？」

榎本は、不思議そうに訊《き》く。

「たとえば、ウェットスーツのようなもので、全身を防備していれば、アレルギーだって発症しないはずでしょう？」

「顔はどうするんですか？」

「それは……何かでぴったり覆ってれば」

「呼吸ができませんよ」

「じゃあ、どうせウェットスーツを着てるんだから、酸素ボンベでも背負ったらいいでしょう？」

純子は、投げやりに答えた。

「住宅街でですか？　どう見たって怪しすぎますよね。誰かに目撃されたら、警察に通報されるかもしれませんし、いくら何でも、呑龍号に吠えられるんじゃないですか？」

「犬は、外見ではなく、臭いで判断しますからね」

純子は、一転して、自信満々に反論する。

「ウェットスーツを着てても、臭いがわかるものでしょうか？」

「それは……ウェットスーツの上に、自分の臭いがするものを着けてたらどうですか？　首にタオルを巻いてたとか」

「その恰好《かっこう》で訪ねたら、被害者のヘクター釜千代氏だって、驚くと思いますけどね」

榎本は、苦笑する。

「だったら、別にウェットスーツじゃなくても、いいでしょう？　ダウンみたいな気密性の高いジャケットとレザーのパンツに、手袋して、頭にはフルフェイスのヘルメットでも被《かぶ》って、ついでに首のところはガムテープでも巻いてれば？」

純子は、むきになって言いつのった。

「あの……すみません」

振り返ると、松本さやかが、思い詰めた表情で立っていた。

「青砥先生。わたし、お話ししてなかったことが、あるんです」

「どういうことですか？」

「事件のあった晩のことです。わたしが、一晩中一緒にいたのは、実は、力八噸さんだったんです」

「ええ？」

もっと早く言ってよ。

「ごめんなさい。でも、本当に何もなかったんです。二人で、少しお酒を飲んで、お話ししてただけで」

そんなこと、別に訊いてないんですけど。

「わたし、先生にだけは、どうしても誤解されたくなくて。それで、言えなかったんです」

どういうことだろう。さやかの潤んだ瞳《ひとみ》に見つめられて、純子は、背筋がぞわりとした。

「そういうことだそうです。力八噸氏の扮装《ふんそう》については、これで検討を打ち切ってもいいでしょう」

　さやかが嘘をついていないかぎり、力八噸はシロだ。でも、さやかが犯人だとすると、わざわざ密室の謎解きを依頼に来るとは思えない。

　もはや、これまでだ。純子は、白旗を上げて、謎解きは榎本に丸投げすることにした。

「みなさん、お待たせしました。ようやく事件の真相が明らかになりましたので、わたしのアシスタントの方から説明いたします。防犯コンサルタントの榎本さんです」

　純子が紹介すると、拍手が起こった。いつのまにか、劇団員の数は倍以上に増えている。新たに加わったのは、ヘクター釜千代に代わって座長になった攘夷《じょうい》蝦《が》蟇《ま》智《ち》慧《え》の他、夫毛《おっとけ》、嵌戸《はめど》などという、奇怪な芸名を持った面々だった。

「えーこの事件は……あの、本当に、ここで話をするんですか？」

　榎本は、当惑したように純子に尋ねた。人通りは少ないとはいえ、路上である。

「お願いします。見せ場ですから」

　純子は、拍手で榎本を追い詰める。劇団員たちも、口笛を吹き、手拍子で盛り上げた。

「わかりました。それでは、犯人を発表しましょう。飛鳥寺鳳也氏です」

「ま、まさかっ。そんな！　わーっ！」

　左栗痴子が、両手でメガホンを作って叫んだ。

「信じられなーい！」と、力八噸や蝦蟇智慧らが立ち上がってブーイングした。

「うーん、それはないと思うけどな」というのが、当の飛鳥寺のリアクションである。

「事件当夜、飛鳥寺氏は、ヘクター釜千代氏宅を訪ねました。酒を飲みながら話すうちに、飛鳥寺氏は激昂《げっこう》し、一升瓶でヘクター釜千代氏の脳天を強打して、死に至らしめたものと推察します」

「でも、だったら、どうして、呑龍号は吠えなかったんですか？」

さやかが、全員の疑問を代弁した。

「わかった！」

純子は、思わず叫んでいた。全員の目が、こちらを向く。

でも、もはや、これしかないと思う。飛鳥寺は、呑龍号を眠らせたのだ。だとすれば、吠えられる前に遠間からやったとしか思えない。そう、吹き矢だ。矢に麻酔薬を仕込んでおけば、呑龍号は、しばらくの間意識を失っているはずだ。

「榎本さん。これだったのね？」

純子は、持っていたチラシを丸めて筒を作り、口元にかざした。

「そうです。飛鳥寺氏は、呑龍号を餌付《えづ》けしていたのです。ちくわを使ったかどうかは、私にはわかりませんが」

純子は、そのまま固まってしまった。

「餌付け？　そんなこと、できるでしょうか？　だって、呑龍号は、あんなに飛鳥寺さんのことを嫌ってたのに」

さやかが、納得がいかない様子で訊《たず》ねる。

「基本的に、餌付けのできない犬は、いないと思ってください。ましてや、これだけ食い意地の張った犬だと、簡単なことです。最初は吠えられるでしょうが、二、三度通って、そのたびに餌をやれば、すぐに尻尾《しっぽ》を振るようになります」

「飛鳥寺は、なんで、そんなことをしたんすかね？　やっぱ、最初から座長を殺すつもりで？」

力八噸が、腕組みをして訊く。

「いや、そうではないと思います。おそらく、元々はヘクター釜千代氏を訪ねて話し合いをしたかっただけでしょう。飛鳥寺氏は、呑龍号をひどく怖れていましたから、吠えられないように手なずけたわけですね」

「しかし、あなたは、一つ大事なことを忘れているのではないかな？」

左栗痴子が、異議を唱えた。

「飛鳥寺君が、釜千代の死骸《しがい》を発見したとき、彼はひどく吠えられ、あまつさえ尻《しり》に嚙《か》み付かれている。呑龍号を餌付けしていたようには、とても思えないのですが。今日だって、ほとんど喰《く》い殺しそうな勢いだったし……」

「でも、ちょっと異常だったわ」

何かに思い当たったらしく、さやかが、眉《まゆ》をひそめた。

「前から、飛鳥寺さんにはよく吠えてたけど、あれほどのことはなかったと思うんです。

……そうか！　もしかして、ご主人様の仇《かたき》だってわかったのかも！」

「スピッツは、戦後すぐから高度成長期まで、番犬として一番人気の犬でした。ところが、その後、神経質ですぐ吠《ほ》える近所迷惑な犬という悪評が立って、すっかり人気がなくなり、一時は、ほとんど姿を消してしまいました」

榎本は、仕事柄からか、犬に関する豊富な知識を披露する。

「しかし、その後、ブリーダーの努力によって、性格は改善されました。今のスピッツは、昔と違って温和で、あまり無駄吠えはしないものなんです」

「これが、温和？」

純子は、門扉の内側にいる呑龍号を、不信の目で見た。今は行儀よくちょこんと座り、舌を出している。

「もちろん、個体差はあります。それに、犬は、人間とほとんど同じ感情を持っています。恨んだり、嫉妬《しっと》したり、拗《す》ねたりもするんですよ」

「それが、いったい何の……」

「さっきも言いましたが、信用を得るためには長い時間がかかりますが、失うのは一瞬で事足ります。そのへんは、犬も人間も同じことです」

「一瞬で？……あ」

ようやく理解が兆し、純子は、茫然《ぼうぜん》とした。当たり前の話じゃない。今まで、いったい何を錯覚してたんだろう。

「飛鳥寺氏は、犯行の後、指紋を拭《ふ》き取り、自分がいた形跡をすべて片付けたんですが、それでもなお、疑われるのではないかと不安になりました。何しろ動機は山のようにあるので、どれか一つくらいは露見しそうだし、最もまずいシナリオは、もし警察に犯行現場に連れて行かれて、呑龍号に懐かれているところを見られると、劇団員に不審を抱かれることです。そのため、どうしても、呑龍号に、もう一度嫌われる必要があると考えました」

榎本は、ポケットから、長さ10㎝くらいの細長い物体を取り出した。

「さきほど、飛鳥寺氏から、お借りしたものです。『K9キャンセラー』という名前で、超音波を発して犬を撃退する道具です。聴覚の鋭敏な犬には不快きわまりない音が出るのですが、人間の耳には聞こえません。ここで実演しようかと思いましたが、可哀想なのでやめましょう」

榎本は、『K9キャンセラー』を呑龍号に向ける真似をした。

「飛鳥寺氏は、ヘクター釜千代氏を殺害した翌晩、再度この家を訪ねました。さいわいと言うべきか、呑龍号がいるため訪問者は近寄れず、遺体はまだ発見されていませんでした。それでも、あえて第一発見者を装うことにしたのは、こっそり逃げた場合、近隣の住民に目撃される危険を考えたからでしょう。飛鳥寺氏は、尻尾を振って来た呑龍号に餌を与え、家に入ると、死体を発見したふりをして警察に通報しました。それから庭に出ると、お代わりをねだる呑龍号に対して、いきなり超音波を浴びせたのです。目論見《もくろみ》では、呑龍号を撃退して、悠々と脱出するつもりだったのでしょうが、『K９キャンセラー』を使うのは、安全な場所に出てからやるべきでしたね。怒り狂った呑龍号を撃退することはできずに、庭中を追い回され、尻に噛み付かれる羽目になったからです。呑龍号が今日、飛鳥寺氏に対して激しい怒りを見せたのも、そのときの恨みがあったからでしょう」

「それが真相とは。く……くだらん。うちの芝居にぴったりじゃないか」

　左栗痴子は、茫然とした様子でつぶやくと、半ペラを出して、猛烈な勢いで文字を書き殴り始めた。

「いやいやいや……たいへん面白い推理でしたよ。ブラボー」

　飛鳥寺は、大仰な動作で、わざとらしく拍手をした。芝居ではなく現実だというのに、セリフは信じられないほど陳腐で、演技にはリアリティのかけらもなかった。

「しかし、残念だなあ。何もかも、あなたの想像にすぎないでしょう？　いったいどこに、私が犯人だという証拠があるんですか？」

「うう……裏目に出てるなあ。本物の犯人を演《や》る機会なんて、もう二度とないのに」

　力八噸が、心底残念そうに言う。

「具体的な証拠は、まだありません。警察の捜査に俟《ま》つしかないでしょう。ただ、あなたがヘクター釜千代氏の遺体を発見したというシナリオには、大きな矛盾があります」

「矛盾？」

　飛鳥寺は、片側の眉を上げた。

「あなたが遺体を発見したという晩、呑龍号がひどく吠《ほ》えたために、近所の人が見に来た。
すると、遺体を見つけたあなたが、この家から飛び出してきて、呑龍号に襲われたところ
だったんですね？　そして、あなたは、尻に噛み付かれて七針も縫った」
「いったい、そのどこがおかしいって言うんですか？　ナースのいる前で尻を出すのは、
たいへんな屈辱だったんだ」
「なぜ、あなたが噛まれたのは、家から出るときだったんでしょう？　あなたが呑龍号を
餌付けしてなかったとすれば、それより前、家に入るときに、呑龍号に襲われていたはず
じゃないでしょうか？」

解説

千街晶之

まず、読者の皆さんにちょっと考えていただきたい。今まで読んだ貴志祐介の小説のうち、一番怖かったのはどの作品だろう？

多重人格テーマを扱ったデビュー作『十三番目の人格《ペルソナ》　ISOLA』（一九九六年）か。保険会社の営業マンが世にも恐ろしい目に遭う著者の出世作『黒い家』（一九九七年）か。一転して超自然的な恐怖をメインにした『天使の囀《さえず》り』（一九九八年）か。人間が呪力《じゅりょく》を手にした未来世界が舞台の『新世界より』（二〇〇八年）か。サイコパス教師の学園支配計画を描いた『悪の教典』（二〇一〇年）か。はたまた、『クリムゾンの迷宮』（一九九九年）や『ダークゾーン』（二〇一一年）といったサヴァイヴァル系の作品か……。

　こうして振り返ってみると、著者の小説の殆《ほとん》どが「怖さ」の要素を含んでいることに気づく。そんな中、一見「怖さ」と無縁なのが、防犯コンサルタント探偵・榎本径と弁護士・青砥純子のコンビが登場する一連の本格ミステリである。だが、本当に無縁なのだろうか？　実はこのシリーズにこそ、私たち読者にとって最も身近な恐怖が秘められているように思えてならないのだが……。

そのあたりを説明する前に、まずこのシリーズの第一作であり、著者にとって初の本格ミステリである『硝子《ガラス》のハンマー』（二〇〇四年）について触れておきたい。

二重三重のセキュリティ・システムで護《まも》られた密室状態の部屋で起こった殺人事件を描くこの長篇は、探偵役が繰り出す仮説のひとつひとつに、一本の長篇を支え得るほどのアイディアが使われている贅沢《ぜいたく》なミステリだった。日本推理作家協会賞受賞の栄冠に輝いたのも納得である。

この作品で初めて登場したのが榎本径と青砥純子である。密室トリックを解明する手段がないかどうか、意見を聞くために純子が榎本のもとを訪れたのが、二人の初めての出会いだった。榎本は豊富な知識をもとにさまざまな可能性を検討してゆくのだが、その言動の端々からは、彼の本職が泥棒であることが窺《うかが》える（そのわりに警察とも一種の協力関係を築いている様子だし、純子と出会う前にも密室事件を解明した経験がある）。純子も彼女なりに知恵を絞って仮説を立ててみるのだが、どうも思いつきを軽く口にしてしまう傾向があり、しばしば周囲を呆《あき》れさせる。両者のディスカッションは時に微笑ましさを感じさせるけれども、それはすべて、間違った仮説をひとつひとつ潰《つぶ》し、最後に真の解決だけを残すという目的に奉仕しているのである。

著者は当初、この二人を『硝子のハンマー』一作きりのキャラクターにするつもりだったが、せっかく思いついたのに作中で使えなかったトリックが溜《た》まったので、それを生かすためにも密室ものを書き継ぐ意欲が湧いたようだ。こうして、シリーズものを書かない著者としては珍しく、榎本と純子のコンビはその後も活躍を続けることになる。そして刊行されたシリーズ第二弾が、本書『狐火の家』（二〇〇八年三月、角川書店刊）なのである。『硝子のハンマー』が長篇だったのに対し、本書は四つの短篇を収録している。巻頭の「狐火の家」（《野性時代》二〇〇五年十一月号）で描かれるのは、長野県のある村で起きた殺人事件だ。犯人は出入り不可能な密室状態の家で被害者を殺害したのみならず、二十キロもある金のインゴットを持ち去ったらしいのだが……。表題作に相応《ふさわ》しく、アイディア満載の重量感溢《あふ》れる作品である。解決篇が探偵サイドではなく別の人物の視点で描かれる構成は、敢《あ》えて『硝子のハンマー』との共通性を持たせたものだろうか。

「狐火の家」では「■昨日起きた事件を今日中に解決すれば、わたしは、日本初の密室専門の刑事弁護士で売り出せるかもね」と冗談を口にしていた純子だが、その後関わる事件のすべてに密室が絡んでくると、そうも言っていられなくなったようだ。「黒い牙」（《野性時代》二〇〇七年二月号）は、純子がある動物がらみのトラブルを引き受けたことからとんでもない事態に巻き込まれる、ブラックな味わいの物語だ。純子から事情を聞いた榎本は、真相には二つの可能性があると述べ、そのトリックを説明する。それを聞いた純子は、「どっちもどっちという冷酷非情さである。そんな方法に簡単に思い至る榎本にまで、不信感を禁じえないほどだ」という反応を見せるのだが、実際この作品のトリックは衝撃的で、かなりの密室マニアでも「よくこんなことを思いつくなあ」と唖然《あぜん》とする筈《はず》だ。

著者の作品にはゲームのルールを取り入れたものがいくつかあるが、「盤端の迷宮」で描かれることが多かったこのシリーズだけれども、本作は珍しく榎本視点。しかも、終盤まで登場しない純子の代わりに、被害者と交際していた女流棋士・来栖奈穂子が仮説を提示し、榎本と推理合戦を繰り広げるのである。事件当事者の思考、そして犯人を追い詰める榎本の作戦もプロの勝負師ならではの心理を踏まえているあたり、敢えて将棋の世界を舞台にしたからこその説得力がある。

「盤端の迷宮」には、『硝子のハンマー』に登場していた「ハゲコウ」こと鴻野警部補が再び顔を見せていたけれども、どうやらこのシリーズ、以前の事件の関係者の再登場もあり得るらしい。巻末の「犬のみぞ知る Dog knows」（単行本書き下ろし）にも『硝子のハンマー』の関係者が登場するのだが、本書の最大の異色作はこれだろう。事件が起こったのは変人揃いの劇団。誰一人事件のことを深刻に受け止めていない俳優たち相手に、純子が口にする仮説も普段より更に突拍子もない。他の三篇とは異なる脱力系の味わいが楽しいユーモア・ミステリである。

以上四篇、作品としてのヴァリエーションを重視しつつ、短篇の分量の中で可能な限り仮説の検討を盛り込んだ点は共通している。そして注目すべきは、作中の密室トリックの実現可能性の高さだろう。名作と呼ばれる歴代の密室ミステリには、敢えてリアリティを無視した空想的なトリックもあれば、現実に可能なのではないかと思えるトリックもあるけれども、榎本と純子のシリーズに出てくるトリックは後者の極北なのである。

いや、厳密なことを言えば、本書の通りに密室殺人を試みても、百パーセント成功するとは限らない。名料理人が、TVなどで料理のコツを取材された時には最も大事な秘伝の部分だけ伏せて語るように、著者も完全なトリックを知っていながら、わざとどこかで勘所を外して描いているのかも知れない（自分の書いた小説を手本として、本当に密室殺人を起こされても困るだろうし）。しかし、かなり丁寧に読んでも、このシリーズの密室トリックは実行可能に見えてしまうのだ。

私がこのシリーズを「怖い」と感じるのはその点なのである。こうすれば密室殺人は実行可能だが、こういう穴があるから失敗に終わる——という秘密を、このシリーズはかなり際どいところまで明かしているのではないか。著者はかつて引っ越しの際に、新しいマンションのセキュリティがお粗末なのに気づき、専門家に話を聞いたそうで、そこで身につけた知識が『硝子のハンマー』の執筆に役立ったという（『硝子のハンマー』角川文庫版の法月綸太郎によるインタヴューを参照）。その時、著者は開かない鍵《かぎ》は絶対ないといった話を聞き、自分の身は自分で守らなければならないことを痛感したそうだ。「開かない鍵はない」——その前提は、著者の中で「密室殺人はどんな場所でもここまでなら可能である」という発想へと変換されたのではないだろうか。密室トリックが名探偵によって暴かれる点は他の作家が書いたミステリと同じだけれども、このシリーズでは探偵役が泥棒であるという点に特殊性がある。榎本には「殺人まではしてはいけない」という最低限のモラルはあるものの、それでも犯罪者は犯罪者だ。そんなインモラルなキャラクターだけが、高度化した現在のシステムをかいくぐるような巧妙な密室トリックを暴ける――という設定に、見せかけの安全性の裏に危険が潜む現代社会の怖さに対する著者の冷徹な視線が感じられる。もちろん読者は、このシリーズを読んで、フェアプレイの規則に基づく作者と読者の知恵の戦いを心ゆくまで楽しめばいい（実際、これほどフェアプレイに徹した本格ミステリのシリーズは珍しい）。しかし、作者とのゲームを終えた時、読者はふと、どこか背筋が寒くなるような余韻を感じないだろうか――自分たちが安全なつもりで暮らしているこの現代社会が、かくも巧妙な犯罪の舞台に変容し得る、という事実を突きつけられたことに対して。ラストの「犬のみぞ知る Dog knows」がコメディ仕立てなのは、その余韻を少しでも和らげようという、著者のエンタテインメント作家としてのサーヴィス精神なのかも知れない。

さて、防犯探偵と弁護士のコンビ（だんだん迷コンビと呼ぶのが相応しくなりつつあるけれど）の活躍はまだまだ続いている。シリーズ第三弾となった新作短篇集のタイトルは、ずばり『鍵のかかった部屋』（二〇一一年、角川書店刊）。タイトルに「密室」とつけたに等しい大胆不敵さだが、それだけのことはある内容で、密室トリックの実現性といい、ディスカッションを純粋に謎解きだけに奉仕させる小説作法といい、本書より更に進化を遂げている。あらゆる本格ミステリファン必読の傑作である、と言っておきたい。

本書は、二〇〇八年三月に小社より刊行された
単行本を文庫化したものです。

狐火《きつねび》の家《いえ》

貴志祐介《きしゆうすけ》

角川文庫 17020

平成二十三年九月二十五日　初版発行
平成二十四年三月二十五日　再版発行

発行者―井上伸一郎
発行所―株式会社角川書店
東京都千代田区富士見二―十三―三
電話・編集　(〇三)三二三八―八五五五
〒一〇二―八〇七八
発売元―株式会社角川グループパブリッシング
東京都千代田区富士見二―十三―三
電話・営業　(〇三)三二三八―八五二一
〒一〇二―八一七七
http://www.kadokawa.co.jp
印刷所―旭印刷　製本所―BBC
装幀者―杉浦康平

定価はカバーに明記してあります。

き 28-3　ISBN978-4-04-197908-2　C0193

角川文庫発刊に際して

角川源義

第二次世界大戦の敗北は、軍事力の敗北であった以上に、私たちの若い文化力の敗退であった。私たちの文化が戦争に対して如何に無力であり、単なるあだ花に過ぎなかったかを、私たちは身を以て体験し痛感した。西洋近代文化の摂取にとって、明治以後八十年の歳月は決して短かすぎたとは言えない。にもかかわらず、近代文化の伝統を確立し、自由な批判と柔軟な良識に富む文化層として自らを形成することに私たちは失敗して来た。そしてこれは、各層への文化の普及滲透を任務とする出版人の責任でもあった。

一九四五年以来、私たちは再び振出しに戻り、第一歩から踏み出すことを余儀なくされた。これは大きな不幸ではあるが、反面、これまでの混沌・未熟・歪曲の中にあった我が国の文化に秩序と確たる基礎を齎らすためには絶好の機会でもある。角川書店は、このような祖国の文化的危機にあたり、微力をも顧みず再建の礎石たるべき抱負と決意とをもって出発したが、ここに創立以来の念願を果すべく角川文庫を発刊する。これまで刊行されたあらゆる全集叢書文庫類の長所と短所とを検討し、古今東西の不朽の典籍を、良心的編集のもとに、廉価に、そして書架にふさわしい美本として、多くのひとびとに提供しようとする。しかし私たちは徒らに百科全書的な知識のジレッタントを作ることを目的とせず、あくまで祖国の文化に秩序と再建への道を示し、この文庫を角川書店の栄ある事業として、今後永久に継続発展せしめ、学芸と教養との殿堂として大成せんことを期したい。多くの読書子の愛情ある忠言と支持とによって、この希望と抱負とを完遂せしめられんことを願う。

一九四九年五月三日

角川文庫ベストセラー

女王様と私　歌野晶午

冴えないオタクの真藤数馬は無職でもちろん独身。女王様との出逢いがめくるめく悪夢の第一歩だった……。未曾有の超絶エンタテインメント長篇！

ハッピーエンドにさよならを　歌野晶午

平凡な日常の向かう先が〝シアワセ〟とは限らない。ミステリの偉才が紡ぎ出す、ブラックユーモアと小説的な企みに満ちた奇想天外の結末たち！

ばいばい、アースⅠ～Ⅳ　冲方丁

天には聖星、地には花、人々は獣のかたちを纏う異世界で、唯一人の少女ラブラック＝ベルの冒険が始まる――本屋大賞作家最初期の傑作!!

黒い季節　冲方丁

未来を望まぬ男と謎の少年、各々に未来を望む2組の男女…全ての役者が揃ったとき世界は新しい貌を見せる。渾身のハードボイルドファンタジー!!

覆面作家は二人いる　北村薫

姓は《覆面》、名は《作家》。二つの顔を持つ新人作家が日常に潜む謎を鮮やかに解き明かす――弱冠19歳のお嬢様名探偵、誕生！

覆面作家の愛の歌　北村薫

きっかけは、春のお菓子。梅雨入り時のスナップ写真。そして新年のシェークスピア…。三つの季節の、三つの謎を解く、天国的美貌のお嬢様探偵。

北村薫の本格ミステリ・ライブラリー　北村薫編

北村薫が贈る本格ミステリの数々！　名作クリスチアナ・ブランド「ジェミニー・クリケット事件（アメリカ版）」などあなたの知らない物語がここに！

角川文庫ベストセラー

殺人の門
東野圭吾

あいつを殺したい。でも殺せない——。人が人を殺すという行為はいかなることなのか。直木賞作家が描く、「憎悪」と「殺意」の一大叙事詩。

さまよう刃
東野圭吾

密告電話によって犯人を知ってしまった父親は、殺された娘の復讐を誓う。正義とは何か。誰が犯人を裁くのか。心揺さぶる傑作長編サスペンス。

使命と魂のリミット
東野圭吾

心臓外科医を目指す氷室夕紀は、誰にも言えないある目的を胸に秘めていた。それをついに果たす日が来たとき、手術室を前代未聞の危機が襲う。

今夜は眠れない
宮部みゆき

伝説の相場師が、なぜか母さんに5億円の遺産を残したことから、一家はばらばらに。僕は親友の島崎と真相究明に乗り出した！

夢にも思わない
宮部みゆき

下町の庭園で僕の同級生クドウさんの従姉が殺された。売春組織とかかわりがあったらしい。僕は親友の島崎と真相究明に乗り出す。衝撃の結末！

山田風太郎ベストコレクション
甲賀忍法帖
山田風太郎

甲賀と伊賀によって担われる徳川家の跡継ぎを巡る代理戦争。秘術を尽くした凄絶な忍法合戦と悲恋の行方とは…。山風忍法帖の記念すべき第一作。

山田風太郎ベストコレクション
虚像淫楽
山田風太郎

晩春の夜更け、病院に担ぎこまれた女に隠された驚愕の秘密とは？　探偵作家クラブ賞を受賞した表題作を含む初期ミステリー傑作選！

角川文庫ベストセラー